EinFach
Deutsch

Johann Wolfgang Goethe

Die Leiden des jungen Werthers

Roman

Bearbeitet und mit Anmerkungen
und Materialien versehen von
Hendrik Madsen und
Rainer Madsen

Herausgegeben von
Johannes Diekhans

Der Text folgt der *ersten Fassung von 1774* nach folgender Ausgabe: Der junge Goethe. Neu bearbeitete Ausgabe in fünf Bänden. Hrsg. v. Hanna Fischer-Lamberg. Band IV. Januar – Dezember 1774. Berlin 1968. S. 105–187. Der Text wurde den geltenden Normen der deutschen Rechtschreibung angepasst.

westermann GRUPPE

Druck A[19] / Jahr 2021
Alle Drucke der Serie A sind im Unterricht parallel verwendbar.

Umschlaggestaltung: Jennifer Kirchhof
Druck und Bindung: Westermann Druck Zwickau GmbH

ISBN 978-3-14-**022364**-5

Johann Wolfgang Goethe: Die Leiden des jungen Werthers

Die Leiden des jungen Werthers.

Erster Theil.

Leipzig,
in der Weygandschen Buchhandlung.
1774.

Titelblatt der Erstausgabe (I. Teil)

Die Leiden des jungen Werthers

Erster Teil

Was ich von der Geschichte des armen Werthers nur habe auffinden können, habe ich mit Fleiß gesammlet und leg es euch hier vor, und weiß, dass ihr mir's danken werdet. Ihr könnt seinem Geist und seinem Charakter eure Bewunderung und Liebe und seinem Schicksale eure Tränen nicht versagen.
Und du, gute Seele, die du eben den Drang fühlst wie er, schöpfe Trost aus seinem Leiden und lass das Büchlein deinen Freund sein, wenn du aus Geschick oder eigner Schuld keinen nähern finden kannst.

am 4. Mai 1771.

Wie froh bin ich, dass ich weg bin! Bester Freund, was ist das Herz des Menschen! Dich zu verlassen, den ich so liebe, von dem ich unzertrennlich war, und froh zu sein! Ich weiß, du verzeihst mir's. Waren nicht meine übrigen Verbindungen recht ausgesucht vom Schicksal, um ein Herz wie das meine zu ängstigen? Die arme Leonore! Und doch war ich unschuldig! Konnt ich dafür, dass, während die eigensinnigen Reize ihrer Schwester mir einen angenehmen Unterhalt[1] verschafften, dass eine Leidenschaft in dem armen Herzen sich bildete! Und doch – bin ich ganz unschuldig? Hab ich nicht ihre Empfindungen genährt? Hab ich mich nicht an denen ganz wahren Ausdrücken der Natur, die uns so oft zu lachen machten, so wenig lächerlich sie waren, selbst ergötzt! Hab ich nicht – O was ist der Mensch, dass er über sich klagen darf! – Ich will, lieber Freund, ich verspreche dir's, ich will mich bessern, will nicht mehr das bisschen Übel, das das Schicksal uns vorlegt, wiederkäuen, wie ich's immer getan habe. Ich will das Gegenwärtige genießen, und das Vergangene soll mir vergangen sein. Gewiss, du hast Recht, Bester: Der Schmerzen wären minder[2] unter den Menschen, wenn sie

1 hier: Unterhaltung
2 weniger

nicht – Gott weiß, warum sie so gemacht sind – mit so viel Emsigkeit der Einbildungskraft sich beschäftigten, die Erinnerungen des vergangenen Übels zurückzurufen, ehe denn eine gleichgültige Gegenwart zu tragen.
5 Du bist so gut, meiner Mutter zu sagen, dass ich ihr Geschäfte[1] bestens betreiben und ihr ehstens[2] Nachricht davon geben werde. Ich habe meine Tante gesprochen und habe bei weitem das böse Weib nicht gefunden, das man bei uns aus ihr macht, sie ist eine muntere heftige
10 Frau von dem besten Herzen. Ich erklärte ihr meiner Mutter Beschwerden über den zurückgehaltenen Erbschaftsanteil. Sie sagte mir ihre Gründe, Ursachen und die Bedingungen, unter welchen sie bereit wäre, alles herauszugeben, und mehr als wir verlangten – Kurz, ich
15 mag jetzo nichts davon schreiben, sag meiner Mutter, es werde alles gutgehen. Und ich habe, mein Lieber! wieder bei diesem kleinen Geschäfte gefunden: dass Missverständnisse und Trägheit vielleicht mehr Irrungen in der Welt machen, als List und Bosheit nicht tun. Wenig-
20 stens sind die beiden Letztern gewiss seltner.
Übrigens find ich mich hier gar wohl. Die Einsamkeit ist meinem Herzen köstlicher Balsam[3] in dieser paradiesischen Gegend, und diese Jahreszeit der Jugend wärmt mit aller Fülle mein oft schauderndes Herz. Jeder Baum,
25 jede Hecke ist ein Strauß von Blüten, und man möchte zum Maienkäfer werden, um in dem Meer von Wohlgerüchen herumschweben und alle seine Nahrung darinne finden zu können.
Die Stadt ist selbst unangenehm, dagegen ringsumher
30 eine unaussprechliche Schönheit der Natur. Das bewog den verstorbenen Grafen von M., einen Garten auf einem der Hügel anzulegen, die mit der schönsten Mannigfaltigkeit der Natur sich kreuzen und die lieblichsten Täler bilden. Der Garten ist einfach und man fühlt gleich
35 bei dem Eintritte, dass nicht ein wissenschaftlicher Gärt-

1 hier: Angelegenheit
2 nächstens
3 Gemisch von Harzen mit ätherischen Ölen, bes. als Heilsalbe, Linderungsmittel

ner[1], sondern ein fühlendes Herz den Plan bezeichnet, das sein Selbst hier genießen wollte. Schon manche Träne hab ich dem Abgeschiedenen in dem verfallnen Kabinettchen[2] geweint, das sein Lieblingsplätzchen war und auch meins ist. Bald werd ich Herr vom Garten sein, der Gärtner ist mir zugetan, nur seit den paar Tagen, und er wird sich nicht übel davon befinden.

*

am 10. Mai.

Eine wunderbare Heiterkeit hat meine ganze Seele eingenommen, gleich denen süßen Frühlingsmorgen, die ich mit ganzem Herzen genieße. Ich bin so allein und freue mich so meines Lebens, in dieser Gegend, die für solche Seelen geschaffen ist wie die meine. Ich bin so glücklich, mein Bester, so ganz in dem Gefühl von ruhigem Dasein versunken, dass meine Kunst darunter leidet. Ich könnte jetzo nicht zeichnen, nicht einen Strich, und bin niemalen ein größerer Maler gewesen als in diesen Augenblicken. Wenn das liebe Tal um mich dampft und die hohe Sonne an der Oberfläche der undurchdringlichen Finsternis meines Waldes ruht und nur einzelne Strahlen sich in das innere Heiligtum stehlen, und ich dann im hohen Grase am fallenden Bache liege und näher an der Erde tausend mannigfaltige Gräschen mir merkwürdig[3] werden. Wenn ich das Wimmeln der kleinen Welt zwischen Halmen, die unzähligen, unergründlichen Gestalten all der Würmchen, der Mückchen näher an meinem Herzen fühle, und fühle die Gegenwart des Allmächtigen, der uns all nach seinem Bilde schuf, das Wehen des Allliebenden, der uns in ewiger Wonne schwebend trägt und erhält. Mein Freund, wenn's denn um meine Augen dämmert und die Welt um mich her und Himmel ganz in meiner Seele ruht, wie die Gestalt einer Geliebten; dann sehn ich mich oft und denke: Ach, könntest du das wieder ausdrücken,

[1] Gärtner, der (im Sinne des französischen Stils der Gartenbaukunst) Gärten mit streng geschnittenen Bäumen geometrisch anlegt

[2] kleiner geschlossener Raum; Gartenhaus

[3] bemerkenswert

könntest du dem Papier das einhauchen, was so voll, so warm in dir lebt, dass es würde der Spiegel deiner Seele, wie deine Seele ist der Spiegel des unendlichen Gottes. Mein Freund – Aber ich gehe darüber zugrunde, ich erliege unter der Gewalt der Herrlichkeit dieser Erscheinungen.

*

am 12. Mai.

Ich weiß nicht, ob so täuschende Geister um diese Gegend schweben oder ob die warme himmlische Fantasie in meinem Herzen ist, die mir alles ringsumher so paradiesisch macht. Da ist gleich vor dem Orte ein Brunn, ein Brunn, an den ich gebannt bin wie Melusine[1] mit ihren Schwestern. Du gehst einen kleinen Hügel hinunter und findest dich vor einem Gewölbe, da wohl zwanzig Stufen hinabgehen, wo unten das klarste Wasser aus Marmorfelsen quillt. Das Mäuerchen, das oben umher die Einfassung macht, die hohen Bäume, die den Platz ringsumher bedecken, die Kühle des Orts, das hat alles so was Anzügliches[2], was Schauerliches. Es vergeht kein Tag, dass ich nicht eine Stunde da sitze. Da kommen denn die Mädchen aus der Stadt und holen Wasser, das harmloseste Geschäft und das nötigste, das ehmals die Töchter der Könige selbst verrichteten. Wenn ich da sitze, so lebt die patriarchalische Idee[3] so lebhaft um mich, wie sie alle die Altväter[4] am Brunnen Bekanntschaft machen und freien, und wie um die Brunnen und Quellen wohltätige Geister schweben. O der muss nie nach einer schweren Sommertagswanderung sich an des Brunnens Kühle gelabt haben, der das nicht mitempfinden kann.

*

1 Wassergeist
2 Anziehendes
3 Vorstellung vom Zusammenleben der Generationen unter der fürsorglichen Führung eines Familien- oder Stammesoberhauptes
4 die biblischen Patriarchen (Erzväter); vgl. 1. Mose 24, 13 f.

am 13. Mai.

Du fragst, ob du mir meine Bücher schicken sollst? Lieber, ich bitte dich um Gottes willen, lass mir sie vom Hals. Ich will nicht mehr geleitet, ermuntert, angefeuret sein, braust dieses Herz doch genug aus sich selbst, ich brauche Wiegengesang, und den hab ich in seiner Fülle gefunden in meinem Homer[1]. Wie oft lull ich mein empörendes Blut zur Ruhe, denn so ungleich, so unstet[2] hast du nichts gesehn als dieses Herz. Lieber! Brauch ich dir das zu sagen, der du so oft die Last getragen hast, mich vom Kummer zur Ausschweifung und von süßer Melancholie zur verderblichen Leidenschaft übergehn zu sehn. Auch halt ich mein Herzchen wie ein krankes Kind, all sein Wille wird ihm gestattet. Sag das nicht weiter, es gibt Leute, die mir's verübeln würden.

*

am 15. Mai.

Die geringen Leute[3] des Orts kennen mich schon und lieben mich, besonders die Kinder. Eine traurige Bemerkung hab ich gemacht. Wie ich im Anfange mich zu ihnen gesellte, sie freundschaftlich fragte über dies und das, glaubten einige, ich wollte ihrer spotten, und fertigten mich wohl gar grob ab. Ich ließ mich das nicht verdrießen, nur fühlt ich, was ich schon oft bemerkt habe, auf das Lebhafteste. Leute von einigem Stande werden sich immer in kalter Entfernung vom gemeinen Volke halten, als glaubten sie durch Annäherung zu verlieren, und dann gibt's Flüchtlinge[4] und üble Spaßvögel, die sich herabzulassen scheinen, um ihren Übermut dem armen Volke desto empfindlicher zu machen[5].

Ich weiß wohl, dass wir nicht gleich sind noch sein können. Aber ich halte dafür[6], dass der, der glaubt nötig zu haben, vom sogenannten Pöbel[7] sich zu entfernen, um

---

1 griechischer Dichter, um 800 v. Chr., („Ilias", „Odyssee")
2 ohne Geduld und Beharrungsvermögen
3 Menschen, die in der Sozialordnung die untersten Plätze einnehmen
4 flüchtige, oberflächliche Menschen
5 empfinden zu lassen 6 ich bin der Meinung
7 (abwertend) niederes Volk

den Respekt zu erhalten, ebenso tadelhaft ist als ein Feiger, der sich für[1] seinem Feinde verbirgt, weil er zu unterliegen fürchtet.
Letzthin kam ich zum Brunnen und fand ein junges Dienstmädchen, das ihr Gefäß auf die unterste Treppe gesetzt hatte und sich umsah, ob keine Kamerädin kommen wollte, ihr's auf den Kopf zu helfen. Ich stieg hinunter und sah sie an. Soll ich Ihr helfen, Jungfer[2]?, sagt ich. Sie ward rot über und über. O nein Herr!, sagte sie. – Ohne Umstände! – Sie legte ihren Kringen[3] zurechte, und ich half ihr. Sie dankte und stieg hinauf.

*

den 17. Mai.

Ich hab allerlei Bekanntschaft gemacht, Gesellschaft hab ich noch keine gefunden. Ich weiß nicht, ob ich Anzügliches für die Menschen haben muss, es mögen mich ihrer so viele und hängen sich an mich, und da tut mir's immer weh, wenn unser Weg nur so eine kleine Strecke miteinander geht. Wenn du fragst, wie die Leute hier sind?, muss ich dir sagen: Wie überall! Es ist ein einförmig Ding ums Menschengeschlecht. Die meisten verarbeiten den größten Teil der Zeit, um zu leben, und das bisschen, das ihnen von Freiheit übrig bleibt, ängstigt sie so, dass sie alle Mittel aufsuchen, um's loszuwerden. O Bestimmung des Menschen!

Aber eine rechte gute Art Volks! Wann ich mich manchmal vergesse, manchmal mit ihnen die Freuden genieße, die so den Menschen noch gewährt sind, an einem artig[4] besetzten Tisch, mit aller Offen- und Treuherzigkeit sich herumzuspaßen, eine Spazierfahrt, einen Tanz zur rechten Zeit anzuordnen und dergleichen, das tut eine ganz gute Würkung auf mich, nur muss mir nicht einfallen, dass noch so viele andere Kräfte in mir ruhen, die alle

1 vor
2 Anrede einfacher und bürgerlicher unverheirateter Frauen (die Anrede „Fräulein" war dem Adel vorbehalten)
3 gepolsterter Tragring zum Tragen von Lasten auf dem Kopf
4 hübsch, nett (Modewort des 18. Jh.s)

ungenutzt vermodern und die ich sorgfältig verbergen muss. Ach, das engt all das Herz so ein – Und doch! Missverstanden zu werden, ist das Schicksal von unsereinem.

Ach, dass die Freundin meiner Jugend dahin ist, ach, dass ich sie je gekannt habe! Ich würde zu mir sagen: Du bist ein Tor! Du suchst, was hienieden nicht zu finden ist. Aber ich hab sie gehabt, ich habe das Herz gefühlt, die große Seele, in deren Gegenwart ich mir schien mehr zu sein, als ich war, weil ich alles war, was ich sein konnte. Guter Gott, blieb da eine einzige Kraft meiner Seele ungenutzt, konnt ich nicht vor ihr all das wunderbare Gefühl entwickeln, mit dem mein Herz die Natur umfasst, war unser Umgang nicht ein ewiges Weben von feinster Empfindung, schärfstem Witze[1], dessen Modifikationen bis zur Unart alle mit dem Stempel des Genies[2] bezeichnet waren? Und nun! – Ach, ihre Jahre, die sie voraus hatte, führten sie früher ans Grab als mich. Nie werd ich ihrer vergessen, nie ihren festen Sinn und ihre göttliche Duldung[3].

Vor wenigen Tagen traf ich einen jungen V.. an, ein offner Junge, mit einer gar glücklichen Gesichtsbildung. Er kommt erst von Akademien[4], dünkt sich[5] nicht eben weise, aber glaubt doch, er wüsste mehr als andere. Auch war er fleißig, wie ich an allerlei spüre, kurz, er hatt' hübsche Kenntnisse. Da er hörte, dass ich viel zeichnete und Griechisch konnte, zwei Meteore hierzuland, wandt er sich an mich und kramte viel Wissens aus, von Batteux bis zu Wood, von de Piles zu Winckelmann, und versicherte mich, er habe Sulzers Theorie den ersten Teil ganz durchgelesen und besitze ein Manuskript von Heynen[6] über das Studium der Antike. Ich ließ das gut sein.

---

1 hier: Verstand
2 der Originalität
3 Geduld
4 wissenschaftliche und künstlerische Bildungseinrichtungen
5 hält sich für
6 Die genannten Personen sind Kunsttheoretiker des 17. und 18. Jahrhunderts.

Noch gar einen braven Kerl hab ich kennenlernen, den fürstlichen Amtmann[1]. Einen offenen, treuherzigen Menschen. Man sagt, es soll eine Seelenfreude sein, ihn unter seinen Kindern zu sehen, deren er neune hat. Besonders macht man viel Wesens von seiner ältsten Tochter. Er hat mich zu sich gebeten, und ich will ihn ehster Tage besuchen, er wohnt auf einem fürstlichen Jagdhofe, anderthalb Stunden von hier, wohin er, nach dem Tode seiner Frau, zu ziehen die Erlaubnis erhielt, da ihm der Aufenthalt hier in der Stadt und dem Amthause zu wehtat.

Sonst sind einige verzerrte Originale[2] mir in Weg gelaufen, an denen alles unausstehlich ist, am unerträglichsten ihre Freundschaftsbezeugungen.

Leb wohl! Der Brief wird dir recht sein, er ist ganz historisch[3].

*

am 22. Mai.

Dass das Leben des Menschen nur ein Traum sei, ist manchem schon so vorgekommen, und auch mit mir zieht dieses Gefühl immer herum. Wenn ich die Einschränkung so ansehe, in welche die tätigen und forschenden Kräfte des Menschen eingesperrt sind, wenn ich sehe, wie alle Würksamkeit dahinaus läuft, sich die Befriedigung von Bedürfnissen zu verschaffen, die wieder keinen Zweck haben, als unsere arme Existenz zu verlängern, und dann, dass alle Beruhigung über gewisse Punkte des Nachforschens nur eine träumende Resignation ist, da man sich die Wände, zwischen denen man gefangen sitzt, mit bunten Gestalten und lichten[4] Aussichten bemalt. Das alles, Wilhelm, macht mich stumm. Ich kehre in mich selbst zurück und finde eine Welt! Wieder mehr in Ahndung und dunkler Begier als

---

1 Titel des Verwaltungsbeamten, bes. der Renten- und Wirtschaftsverwalter

2 urbildhafte unverwechselbare Menschen

3 sachlich, berichtend

4 hellen, schönen

in Darstellung und lebendiger Kraft. Und da schwimmt alles vor meinen Sinnen, und ich lächle dann so träumend weiter in die Welt.
Dass die Kinder nicht wissen, warum sie wollen, darin sind alle hochgelahrte Schul- und Hofmeister[1] einig. Dass aber auch Erwachsene, gleich Kindern, auf diesem Erdboden herumtaumeln, gleich wie jene nicht wissen, woher sie kommen und wohin sie gehen, ebenso wenig nach wahren Zwecken handeln, ebenso durch Biskuit und Kuchen und Birkenreiser[2] regiert werden, das will niemand gern glauben, und mich dünkt, man kann's mit Händen greifen.
Ich gestehe dir gern, denn ich weiß, was du mir hierauf sagen möchtest, dass diejenige die glücklichsten sind, die gleich den Kindern in Tag hineinleben, ihre Puppe herumschleppen, aus- und anziehen und mit großem Respekte um die Schublade herumschleichen, wo Mama das Zuckerbrot hineinverschlossen hat, und wenn sie das Gewünschte endlich erhaschen, es mit vollen Backen verzehren und rufen: Mehr! Das sind glückliche Geschöpfe! Auch denen ist's wohl, die ihren Lumpenbeschäftigungen oder wohl gar ihren Leidenschaften prächtige Titel geben und sie dem Menschengeschlechte als Riesenoperationen zu dessen Heil und Wohlfahrt anschreiben. Wohl dem, der so sein kann! Wer aber in seiner Demut erkennt, wo das alles hinausläuft, der so sieht, wie artig jeder Bürger, dem's wohl ist, sein Gärtchen zum Paradiese zuzustutzen weiß, und wie unverdrossen dann doch auch der Unglückliche unter der Bürde seinen Weg fortkeicht[3] und alle gleich interessiert sind, das Licht dieser Sonne noch eine Minute länger zu sehn, ja! der ist still und bildet auch seine Welt aus sich selbst und ist auch glücklich, weil er ein Mensch ist. Und dann, so eingeschränkt er ist, hält er doch immer im Herzen das süße Gefühl von Freiheit, und dass er diesen Kerker verlassen kann, wann er will.

1 private Erzieher der Kinder
2 Abwandlung des redensartlichen „Zuckerbrot und Peitsche"
3 weiterkeucht

am 26. Mai.

Du kennst von Alters her meine Art, mich anzubauen[1], irgend mir an einem vertraulichen Orte ein Hüttchen aufzuschlagen und da mit aller Einschränkung zu beherbergen. Ich hab auch hier wieder ein Plätzchen angetroffen, das mich angezogen hat.

Ohngefähr eine Stunde von der Stadt liegt ein Ort, den sie Wahlheim* nennen. Die Lage an einem Hügel ist sehr interessant, und wenn man oben auf dem Fußpfade zum Dorfe herausgeht, übersieht man mit einem das ganze Tal. Eine gute Wirtin, die gefällig und munter in ihrem Alter ist, schenkt Wein, Bier, Kaffee, und was über alles geht, sind zwei Linden, die mit ihren ausgebreiteten Ästen den kleinen Platz vor der Kirche bedecken, der ringsum mit Bauerhäusern, Scheuern[2] und Höfen eingeschlossen ist. So vertraulich, so heimlich hab ich nicht leicht ein Plätzchen gefunden, und dahin lass ich mein Tischchen aus dem Wirtshause bringen und meinen Stuhl und trinke meinen Kaffee da und lese meinen Homer. Das erste Mal, als ich durch einen Zufall an einem schönen Nachmittage unter die Linden kam, fand ich das Plätzchen so einsam. Es war alles im Felde. Nur ein Knabe von ohngefähr vier Jahren saß an der Erde und hielt ein andres etwa halbjähriges vor ihm zwischen seinen Füßen sitzendes Kind mit beiden Armen wider seine Brust, sodass er ihm zu einer Art von Sessel diente, und ohngeachtet der Munterkeit, womit er aus seinen schwarzen Augen herumschaute, ganz ruhig saß. Mich vergnügte der Anblick und ich setzte mich auf einen Pflug, der gegenüberstund, und zeichnete die brüderliche Stellung mit vielem Ergötzen, ich fügte den nächsten Zaun, ein Tennentor und einige gebrochne Wagenräder bei, wie es all hintereinanderstund, und fand nach Verlauf einer Stunde, dass ich eine wohlgeordnete, sehr

* *Der Leser wird sich keine Mühe geben, die hier genannten Orte zu suchen, man hat sich benötigt gesehen, die im Originale befindlichen wahren Namen zu verändern.*

1 sesshaft zu werden

2 Scheunen

interessante Zeichnung verfertigt hatte, ohne das Mindeste von dem Meinen hinzuzutun. Das bestärkte mich in meinem Vorsatze, mich künftig allein an die Natur zu halten. Sie allein ist unendlich reich und sie allein bildet den großen Künstler. Man kann zum Vorteile der Regeln 5 viel sagen, ohngefähr was man zum Lobe der bürgerlichen Gesellschaft sagen kann. Ein Mensch, der sich nach ihnen bildet, wird nie etwas Abgeschmacktes und Schlechtes hervorbringen wie einer, der sich durch Gesetze und Wohlstand modeln[1] lässt, nie ein unerträg- 10 licher Nachbar, nie ein merkwürdiger Bösewicht werden kann; dagegen wird aber auch alle Regel, man rede was man wolle, das wahre Gefühl von Natur und den wahren Ausdruck derselben zerstören!, sagst du, das ist zu hart! Sie schränkt nur ein, beschneidet die geilen[2] Reben 15 etc. Guter Freund, soll ich dir ein Gleichnis geben: Es ist damit wie mit der Liebe, ein junges Herz hängt ganz an einem Mädchen, bringt alle Stunden seines Tags bei ihr zu, verschwendet all seine Kräfte, all sein Vermögen, um ihr jeden Augenblick auszudrücken, dass er sich ganz 20 ihr hingibt. Und da käme ein Philister[3], ein Mann, der in einem öffentlichen Amte steht, und sagte zu ihm: Feiner junger Herr, lieben ist menschlich, nur müsst Ihr menschlich lieben! Teilet Eure Stunden ein, die einen zur Arbeit, und die Erholungsstunden widmet Eurem Mäd- 25 chen, berechnet Euer Vermögen, und was Euch von Eurer Notdurft[4] übrig bleibt, davon verwehr ich Euch nicht, ihr ein Geschenk, nur nicht zu oft, zu machen. Etwa zu ihrem Geburts- und Namenstage. – Folgt der Mensch, so gibt's einen brauchbaren jungen Menschen, 30 und ich will selbst jedem Fürsten raten, ihn in ein Collegium[5] zu setzen, nur mit seiner Liebe ist's am Ende, und wenn er ein Künstler ist, mit seiner Kunst.

1 formen
2 hier: reifen, üppigen
3 Spießbürger (ein nüchterner, kleinlicher Mensch)
4 notwendiges Bedürfnis, Unterhalt
5 hier: Behörde

O meine Freunde! warum der Strom des Genies so selten ausbricht, so selten in hohen Fluten hereinbraust und eure staunende Seele erschüttert? Liebe Freunde, da wohnen die gelassnen Kerls auf beiden Seiten des Ufers, denen ihre Gartenhäuschen, Tulpenbeete und Krautfelder zugrunde gehen würden und die daher inzeiten mit Dämmen und Ableiten der künftig drohenden Gefahr abzuwehren wissen.

*

am 27. Mai.

Ich bin, wie ich sehe, in Verzückung, Gleichnisse und Deklamation verfallen und habe darüber vergessen, dir auszuerzählen, was mit den Kindern weiter worden ist. Ich saß ganz in malerische Empfindungen vertieft, die dir mein gestriges Blatt sehr zerstückt darlegt, auf meinem Pfluge wohl zwei Stunden. Da kommt gegen Abend eine junge Frau auf die Kinder los, die sich die Zeit nicht gerührt hatten, mit einem Körbchen am Arme, und ruft von weitem: Philips, du bist recht brav. Sie grüßte mich, ich dankte ihr, stand auf, trat näher hin und fragte sie: ob sie Mutter zu den Kindern wäre. Sie bejahte es und indem sie dem Ältesten einen halben Weck[1] gab, nahm sie das Kleine auf und küsste es mit aller mütterlichen Liebe. Ich habe, sagte sie, meinem Philips das Kleine zu halten gegeben und bin in die Stadt gegangen mit meinem Ältsten, um weiß Brot zu holen und Zucker und ein irden[2] Breipfännchen; ich sah das alles in dem Korbe, dessen Deckel abgefallen war. Ich will meinem Hans (das war der Name des Jüngsten) ein Süppchen kochen zum Abende, der lose Vogel, der Große, hat mir gestern das Pfännchen zerbrochen, als er sich mit Philipsen um die Scharre[3] des Breis zankte. Ich fragte nach dem Ältsten, und sie hatte mir kaum gesagt, dass er auf der Wiese sich mit ein paar Gänsen herumjagte, als er hergesprungen kam und dem zweiten eine

1 Brötchen
2 aus Ton oder Steingut
3 der Rest (der „zusammengescharrt" werden muss)

Haselgerte mitbrachte. Ich unterhielt mich weiter mit dem Weibe und erfuhr, dass sie des Schulmeisters Tochter sei und dass ihr Mann eine Reise in die Schweiz gemacht habe, um die Erbschaft eines Vettern zu holen. Sie haben ihn drum betrügen wollen, sagte sie, und ihm auf seine Briefe nicht geantwortet, da ist er selbst hineingegangen. Wenn ihm nur kein Unglück passiert ist, ich höre nichts von ihm. Es ward mir schwer, mich von dem Weibe loszumachen, gab jedem der Kinder einen Kreuzer[1], und auch für's Jüngste gab ich ihr einen, ihm einen Weck mitzubringen zur Suppe, wenn sie in die Stadt ging, und so schieden wir voneinander.

Ich sage dir, mein Schatz, wenn meine Sinnen gar nicht mehr halten wollen, so lindert's all den Tumult, der Anblick eines solchen Geschöpfs, das in der glücklichen Gelassenheit so den engen Kreis seines Daseins ausgeht, von einem Tag zum andern sich durchhilft, die Blätter abfallen sieht und nichts dabei denkt, als dass der Winter kömmt.

Seit der Zeit bin ich oft draus, die Kinder sind ganz an mich gewöhnt. Sie kriegen Zucker, wenn ich Kaffee trinke, und teilen das Butterbrot und die saure Milch mit mir des Abends. Sonntags fehlt ihnen der Kreuzer nie, und wenn ich nicht nach der Betstunde[2] da bin, so hat die Wirtin Ordre[3], ihn auszubezahlen.

Sie sind vertraut, erzählen mir allerhand, und besonders ergötz' ich mich an ihren Leidenschaften und simplen Ausbrüchen des Begehrens, wenn mehr Kinder aus dem Dorfe sich versammeln.

Viel Mühe hat mich's gekostet, der Mutter ihre Besorgnis zu benehmen: „Sie möchten den Herrn inkommodieren[4]."

*

1 (im 18. Jh. Kupfer-) Münze (die nach dem darauf geprägten Doppelkreuz benannt wurde)

2 Andacht um 18 Uhr

3 Anweisung, Auftrag

4 belästigen

am 16. Juni.

Warum ich dir nicht schreibe? Fragst du das und bist doch auch der Gelehrten einer[1]. Du solltest raten, dass ich mich wohl befinde, und zwar – Kurz und gut, ich habe eine Bekanntschaft gemacht, die mein Herz näher angeht. Ich habe – ich weiß nicht.

Dir in der Ordnung zu erzählen, wie's zugegangen ist, dass ich eins der liebenswürdigsten Geschöpfe habe kennenlernen, wird schwer halten, ich bin vergnügt und glücklich und so kein guter Historienschreiber[2].

Einen Engel! Pfui! Das sagt jeder von der Seinigen! Nicht wahr? Und doch bin ich nicht imstande, dir zu sagen, wie sie vollkommen ist, warum sie vollkommen ist, genug, sie hat all meinen Sinn gefangen genommen.

So viel Einfalt[3] bei so viel Verstand, so viel Güte bei so viel Festigkeit, und die Ruhe der Seele bei dem wahren Leben und der Tätigkeit. –

Das ist alles garstiges Gewäsche, was ich da von ihr sage, leidige Abstraktionen, die nicht einen Zug ihres Selbst ausdrücken. Ein andermal – Nein, nicht ein andermal, jetzt gleich will ich dir's erzählen. Tu ich's jetzt nicht, geschäh's niemals. Denn, unter uns, seit ich angefangen habe zu schreiben, war ich schon dreimal im Begriffe, die Feder niederzulegen, mein Pferd satteln zu lassen und hinauszureiten, und doch schwur ich mir heut früh nicht hinauszureiten – und gehe doch alle Augenblicke ans Fenster zu sehen, wie hoch die Sonne noch steht.

Ich hab's nicht überwinden können, ich musste zu ihr hinaus. Da bin ich wieder, Wilhelm, und will mein Butterbrot zu Nacht essen und dir schreiben. Welch eine Wonne das für meine Seele ist, sie in dem Kreise der lieben muntern Kinder ihrer acht Geschwister zu sehen! –

---

1 ein studierter Mann, Akademiker

2 sachlicher Berichterstatter

3 Einfachheit, Schlichtheit

Wenn ich so fortfahre, wirst du am Ende so klug sein wie am Anfange, höre denn, ich will mich zwingen, ins Detail zu gehen.
Ich schrieb dir neulich, wie ich den Amtmann S.. habe kennenlernen und wie er mich gebeten habe, ihn bald in seiner Einsiedelei oder vielmehr seinem kleinen Königreiche zu besuchen. Ich vernachlässigte das und wäre vielleicht nie hingekommen, hätte mir der Zufall nicht den Schatz entdeckt, der in der stillen Gegend verborgen liegt.
Unsere jungen Leute hatten einen Ball auf dem Lande angestellt, zu dem ich mich denn auch willig finden ließ. Ich bot einem hiesigen guten, schönen, weiters unbedeutenden Mädchen die Hand, und es wurde ausgemacht, dass ich eine Kutsche nehmen, mit meiner Tänzerin und ihrer Base[1] nach dem Orte der Lustbarkeit hinausfahren und auf dem Wege Charlotten S.. mitnehmen sollte. Sie werden ein schönes Frauenzimmer[2] kennenlernen, sagte meine Gesellschafterin[3], da wir durch den weiten, schön ausgehauenen Wald nach dem Jagdhause fuhren. Nehmen Sie sich in Acht, versetzte die Base, dass Sie sich nicht verlieben! Wieso?, sagt' ich. Sie ist schon vergeben, antwortete jene, an einen sehr braven Mann, der weggereist ist, seine Sachen in Ordnung zu bringen nach seines Vaters Tod und sich um eine ansehnliche Versorgung zu bewerben. Die Nachricht war mir ziemlich gleichgültig.
Die Sonne war noch eine Viertelstunde vom Gebürge, als wir vor dem Hoftore anfuhren, es war sehr schwüle, und die Frauenzimmer äußerten ihre Besorgnis wegen eines Gewitters, das sich in weißgrauen, dumpfigen[4] Wölkchen rings am Horizonte zusammenzuziehen schien. Ich täuschte ihre Furcht mit anmaßlicher Wetterkunde, ob mir gleich selbst zu ahnden anfing, unsere Lustbarkeit werde einen Stoß leiden.

1 Tante (Schwester des Vaters)
2 feine, gebildete Frau
3 hier: Tanzpartnerin
4 dunkel, dumpf

Ich war ausgestiegen. Und eine Magd, die ans Tor kam, bat uns, einen Augenblick zu verziehen[1], Mamsell[2] Lottchen würde gleich kommen. Ich ging durch den Hof nach dem wohlgebauten Hause, und da ich die vorliegenden Treppen hinaufgestiegen war und in die Türe trat, fiel mir das reizendste Schauspiel in die Augen, das ich jemals gesehen habe. In dem Vorsaale wimmelten sechs Kinder, von eilf[3] zu zwei Jahren, um ein Mädchen von schöner mittlerer Taille, die ein simples weißes Kleid mit blassroten Schleifen an Arm und Brust anhatte. Sie hielt ein schwarzes Brot und schnitt ihren Kleinen ringsherum jedem sein Stück nach Proportion ihres Alters und Appetites ab, gab's jedem mit solcher Freundlichkeit, und jedes rufte so ungekünstelt sein: Danke!, indem es mit den kleinen Händchen lang in die Höh gereicht hatte, eh es noch abgeschnitten war, und nun mit seinem Abendbrote vergnügt entweder wegsprang oder nach seinem stillern Charakter gelassen davon nach dem Hoftore zuging, um die Fremden und die Kutsche zu sehen, darinnen ihre Lotte wegfahren sollte. Ich bitte um Vergebung, sagte sie, dass ich Sie hereinbemühe und die Frauenzimmer warten lasse. Über dem Anziehen und allerlei Bestellungen fürs Haus in meiner Abwesenheit habe ich vergessen, meinen Kindern ihr Vesperstück[4] zu geben, und sie wollen von niemanden Brot geschnitten haben als von mir. Ich machte ihr ein unbedeutendes Kompliment und meine ganze Seele ruhte auf der Gestalt, dem Tone, dem Betragen, und hatte eben Zeit, mich von der Überraschung zu erholen, als sie in die Stube lief, ihre Handschuh und Fächer zu nehmen. Die Kleinen sahen mich in einiger Entfernung so von der Seite an, und ich ging auf das Jüngste los, das ein Kind von der glücklichsten Gesichtsbildung war. Es zog sich zurück, als eben Lotte zur Türe herauskam, und sagte: Louis, gib dem Herrn Vetter eine Hand. Das tat der Knabe sehr

1 verweilen, warten
2 (das frz. *mademoiselle* in volksmäßiger Umformung als) Bezeichnung und Titel einer bürgerlichen und unverheirateten Frau
3 elf
4 Abendbrot

freimütig, und ich konnte mich nicht enthalten, ihn ohngeachtet seines kleinen Rotznäschens herzlich zu küssen. Vetter?, sagt' ich, indem ich ihr die Hand reichte, glauben Sie, dass ich des Glücks wert sei, mit Ihnen verwandt zu sein? O!, sagte sie, mit einem leichtfertigen Lächeln, unsere Vetterschaft ist sehr weitläufig und es wäre mir leid, wenn Sie der Schlimmste drunter sein sollten. Im Gehen gab sie Sophien, der ältsten Schwester nach ihr, einem Mädchen von ohngefähr eilf Jahren, den Auftrag, wohl auf die Kleinen achtzuhaben und den Papa zu grüßen, wenn er vom Spazierritte zurückkäme. Den Kleinen sagte sie, sie sollten ihrer Schwester Sophie folgen, als wenn sie's selbst wäre, das denn auch einige ausdrücklich versprachen. Eine kleine nasweise Blondine aber, von ohngefähr sechs Jahren, sagte: Du bist's doch nicht, Lottchen! Wir haben dich doch lieber. Die zwei ältsten der Knaben waren hinten auf die Kutsche geklettert und auf mein Vorbitten[1] erlaubte sie ihnen, bis vor den Wald mitzufahren, wenn sie versprächen, sich nicht zu necken und sich recht festzuhalten.

Wir hatten uns kaum zurechtgesetzt, die Frauenzimmer sich bewillkommt, wechselsweis über den Anzug und vorzüglich die Hütchen ihre Anmerkungen gemacht und die Gesellschaft, die man zu finden erwartete, gehörig durchgezogen, als Lotte den Kutscher halten und ihre Brüder herabsteigen ließ, die noch einmal ihre Hand zu küssen begehrten, das denn der Ältste mit aller Zärtlichkeit, die dem Alter von funfzehn Jahren eigen sein kann, der andre mit viel Heftigkeit und Leichtsinn tat. Sie ließ die Kleinen noch einmal grüßen, und wir fuhren weiter.

Die Base fragte: ob sie mit dem Buche fertig wäre, das sie ihr neulich geschickt hätte. Nein, sagte Lotte, es gefällt mir nicht, Sie können's wiederhaben. Das vorige war auch nicht besser. Ich erstaunte, als ich fragte: was es für Bücher wären, und sie mir antwortete:* – Ich fand

---

1 Fürbitten

* *Man sieht sich benötigt, diese Stelle des Briefs zu unterdrücken, um niemand Gelegenheit zu einiger Beschwerde zu geben. Obgleich im Grunde*

so viel Charakter in allem, was sie sagte, ich sah mit jedem Wort neue Reize, neue Strahlen des Geistes aus ihren Gesichtszügen hervorbrechen, die sich nach und nach vergnügt zu entfalten schienen, weil sie an mir fühlte, dass ich sie verstund.

Wie ich jünger war, sagte sie, liebte ich nichts so sehr als die Romanen. Weiß Gott, wie wohl mir's war, mich so sonntags in ein Eckchen zu setzen und mit ganzem Herzen an dem Glücke und Unstern einer Miss Jenny[1] teilzunehmen. Ich leugne auch nicht, dass die Art noch einige Reize für mich hat. Doch da ich so selten an ein Buch komme, so müssen sie auch recht nach meinem Geschmacke sein. Und der Autor ist mir der liebste, in dem ich meine Welt wiederfinde, bei dem's zugeht wie um mich und dessen Geschichte mir doch so interessant, so herzlich wird als mein eigen häuslich Leben, das freilich kein Paradies, aber doch im Ganzen eine Quelle unsäglicher Glückseligkeit ist.
Ich bemühte mich, meine Bewegungen über diese Worte zu verbergen. Das ging freilich nicht weit, denn da ich sie mit solcher Wahrheit im Vorbeigehn vom Landpriester von Wakefield[2], vom * – reden hörte, kam ich eben außer mich und sagte ihr alles, was ich musste, und bemerkte erst nach einiger Zeit, da Lotte das Gespräch an die andern wendete, dass diese die Zeit über mit offnen Augen, als säßen sie nicht da, dagesessen hatten. Die Base sah mich mehr als einmal mit einem spöttischen Näschen an, daran mir aber nichts gelegen war.

---

jedem Autor wenig an dem Urteile eines einzelnen Mädchens und eines jungen unsteten Menschen gelegen sein kann.

* *Man hat auch hier die Namen einiger vaterländischen Autoren ausgelassen. Wer Teil an Lottens Beifall hatte, wird es gewiss an seinem Herzen fühlen, wenn er diese Stelle lesen sollte. Und sonst braucht's ja niemand zu wissen.*

1 Figur aus einem (empfindsamen) Moderoman des 18. Jh.s

2 The Vikar of Wakefield, engl. Roman von Oliver Goldsmith (1766), eine idyllische Familiengeschichte

Das Gespräch fiel auf das Vergnügen am Tanze. Wenn diese Leidenschaft ein Fehler ist, sagte Lotte, so gesteh ich Ihnen gern, ich weiß nichts übers Tanzen. Und wenn ich was im Kopfe habe und mir auf meinem verstimmten Klaviere einen Kontretanz[1] vortrommle, so ist alles wieder gut.
Wie ich mich unter dem Gespräche in den schwarzen Augen weidete, wie die lebendigen Lippen und die frischen muntern Wangen meine ganze Seele anzogen, wie ich in den herrlichen Sinn ihrer Rede ganz versunken, oft gar die Worte nicht hörte, mit denen sie sich ausdruckte! Davon hast du eine Vorstellung, wenn du mich kennst. Kurz, ich stieg aus dem Wagen wie ein Träumender, als wir vor dem Lusthause[2] stillhielten, und war so in Träumen rings in der dämmernden Welt verloren, dass ich auf die Musik kaum achtete, die uns von dem erleuchteten Saale herunter entgegenschallte.
Die zwei Herren Audran und ein gewisser N. N.[3], wer behält all die Namen!, die der Base und Lottens Tänzer waren, empfingen uns am Schlage[4], bemächtigten sich ihrer Frauenzimmer und ich führte die meinige hinauf. Wir schlangen uns in Menuetts[5] umeinander herum, ich forderte ein Frauenzimmer nach dem andern auf, und just die Unleidlichsten konnten nicht dazu kommen, einem die Hand zu reichen und ein Ende zu machen. Lotte und ihr Tänzer fingen einen Englischen[6] an, und wie wohl mir's war, als sie auch in der Reihe die Figur mit uns anfing, magst du fühlen. Tanzen muss man sie sehen. Siehst du, sie ist so mit ganzem Herzen und mit ganzer Seele dabei, ihr ganzer Körper, eine Harmonie, so sorglos, so unbefangen, als wenn das eigentlich alles wäre, als wenn sie sonst nichts dächte, nichts empfände, und in dem Augenblicke gewiss schwindet alles andere vor ihr.

---

1 Gruppentanz
2 Vergnügungshaus im Garten/Park
3 Abk. für lat. *nomen nescio*, „den Namen weiß ich nicht“
4 Tür der Landkutsche
5 Einzelpaartänze
6 Gruppentanz

Ich bat sie um den zweiten Kontretanz, sie sagte mir den dritten zu, und mit der liebenswürdigsten Freimütigkeit von der Welt versicherte sie mich, dass sie herzlich gern Deutsch[1] tanzte. Es ist hier so Mode, fuhr sie fort, dass 5 jedes Paar, das zusammengehört, beim Deutschen zusammenbleibt, und mein Chapeau[2] walzt schlecht und dankt mir's, wenn ich ihm die Arbeit erlasse, Ihr Frauenzimmer kann's auch nicht und mag nicht, und ich habe im Englischen gesehn, dass Sie gut walzen, wenn Sie 10 nun mein sein wollen fürs Deutsche, so gehn Sie und bitten sich's aus von meinem Herrn, ich will zu Ihrer Dame gehn. Ich gab ihr die Hand drauf und es wurde schon arrangiert, dass ihrem Tänzer inzwischen die Unterhaltung meiner Tänzerin aufgetragen ward.
15 Nun ging's, und wir ergötzten uns eine Weile an mannigfaltigen Schlingungen der Arme. Mit welchem Reize, mit welcher Flüchtigkeit bewegte sie sich! Und da wir nun gar ans Walzen kamen, und wie die Sphären[3] umeinander herumrollten, ging's freilich anfangs, weil's die wenigsten 20 können, ein bisschen bunt durcheinander. Wir waren klug und ließen sie austoben, und wie die Ungeschicktesten den Plan[4] geräumt hatten, fielen wir ein und hielten mit noch einem Paare, mit Audran und seiner Tänzerin, wacker aus. Nie ist mir's so leicht vom Flecke gegangen. Ich 25 war kein Mensch mehr. Das liebenswürdigste Geschöpf in den Armen zu haben und mit ihr herumzufliegen wie Wetter[5], dass alles ringsumher verging und – Wilhelm, um ehrlich zu sein, tat ich aber doch den Schwur, dass ein Mädchen, das ich liebte, auf das ich Ansprüche hätte, mir 30 nie mit einem andern walzen sollte als mit mir, und wenn ich drüber zugrunde gehen müsste, du verstehst mich.
Wir machten einige Touren[6] gehend im Saale, um zu verschnaufen. Dann setzte sie sich, und die Zitronen, die

---

1 Der Deutsche, auch die Allemande, war eine Art des Kontretanzes mit erweitertem Einzelpaartanz, dem Walzen.
2 frz.: Hut; hier: Tanzpartner
3 Bälle, Kugeln
4 ebene Fläche
5 Blitze
6 Rundgänge

ich weggestohlen hatte beim Punschmachen, die nun die Einzigen noch übrigen waren und die ich ihr in Schnittchen mit Zucker zur Erfrischung brachte, taten fürtreffliche Würkung, nur dass mir mit jedem Schnittchen, das ihre Nachbarin aus der Tasse nahm, ein Stich durchs Herz ging, der ich's nun freilich schadenhalber mit präsentieren musste.
Beim dritten Englischen waren wir das zweite Paar. Wie wir die Reihe so durchtanzten und ich, weiß Gott mit wie viel Wonne, an ihrem Arme und Auge hing, das voll vom wahrsten Ausdrucke des offensten, reinsten Vergnügens war, kommen wir an eine Frau, die mir wegen ihrer liebenswürdigen Miene auf einem nicht mehr ganz jungen Gesichte merkwürdig gewesen war. Sie sieht Lotten lächelnd an, hebt einen drohenden Finger auf und nennt den Namen Albert zweimal im Vorbeifliegen mit viel Bedeutung.
Wer ist Albert?, sagte ich zu Lotten, wenn's nicht Vermessenheit ist zu fragen. Sie war im Begriffe zu antworten, als wir uns scheiden mussten, die große Achte[1] zu machen, und mich dünkte einiges Nachdenken auf ihrer Stirne zu sehen, als wir so voreinander vorbeikreuzten. Was soll ich's Ihnen leugnen, sagte sie, indem sie mir die Hand zur Promenade[2] bot. Albert ist ein braver Mensch, dem ich so gut als verlobt bin! Nun war mir das nichts Neues, denn die Mädchen hatten mir's auf dem Wege gesagt, und war mir doch so ganz neu, weil ich das noch nicht im Verhältnisse auf sie, die mir in so wenig Augenblicken so wert geworden war, gedacht hatte. Genug, ich verwirrte mich, vergaß mich und kam zwischen das unrechte Paar hinein, dass alles drunter und drüber ging und Lottens ganze Gegenwart und Zerren und Ziehen nötig war, um's schnell wieder in Ordnung zu bringen.
Der Tanz war noch nicht zu Ende, als die Blitze, die wir schon lange am Horizonte leuchten gesehn und die ich immer für Wetterkühlen[3] ausgegeben hatte, viel stärker

1 eine Figur des Tanzes
2 frz. Spaziergang, eine andere Tanzfigur
3 Wetterleuchten

zu werden anfingen und der Donner die Musik überstimmte. Drei Frauenzimmer liefen aus der Reihe, denen ihre Herren folgten, die Unordnung ward allgemein, und die Musik hörte auf. Es ist natürlich, wenn uns ein Unglück oder etwas Schröckliches im Vergnügen überrascht, dass es stärkere Eindrücke auf uns macht als sonst, teils wegen dem Gegensatze, der sich so lebhaft empfinden lässt, teils und noch mehr, weil unsere Sinnen einmal der Fühlbarkeit[1] geöffnet sind und also desto schneller einen Eindruck annehmen. Diesen Ursachen muss ich die wunderbaren Grimassen zuschreiben, in die ich mehrere Frauenzimmer ausbrechen sah. Die Klügste setzte sich in eine Ecke, mit dem Rücken gegen das Fenster, und hielt die Ohren zu, eine andere kniete sich vor ihr nieder und verbarg den Kopf in der Ersten Schoß, eine Dritte schob sich zwischen beide hinein und umfasste ihre Schwesterchen mit tausend Tränen. Einige wollten nach Hause, andere, die noch weniger wussten, was sie taten, hatten nicht so viel Besinnungskraft, den Keckheiten unserer jungen Schluckers[2] zu steuern, die sehr beschäftigt zu sein schienen, alle die ängstlichen Gebete, die dem Himmel bestimmt waren, von den Lippen der schönen Bedrängten wegzufangen. Einige unserer Herren hatten sich hinabbegeben, um ein Pfeifchen in Ruhe zu rauchen, und die übrige Gesellschaft schlug es nicht aus, als die Wirtin auf den klugen Einfall kam, uns ein Zimmer anzuweisen, das Läden und Vorhänge hätte. Kaum waren wir da angelangt, als Lotte beschäftigt war, einen Kreis von Stühlen zu stellen, die Gesellschaft zu setzen und den Vortrag[3] zu einem Spiele zu tun.

Ich sahe manchen, der in Hoffnung auf ein saftiges Pfand[4] sein Mäulchen spitzte und seine Glieder reckte. Wir spielen Zählens, sagte sie, nun gebt Acht! Ich gehe im Kreise herum von der Rechten zur Linken, und so

---

1 Wahrnehmbarkeit für oder durch das Gefühl
2 allgemein verächtliche Bezeichnung
3 Vorschlag und Erläuterung
4 Kuss beim Pfänderspiel

zählt ihr auch ringsherum jeder die Zahl, die an ihn kommt, und das muss gehn wie ein Lauffeuer, und wer stockt oder sich irrt, kriegt eine Ohrfeige, und so bis tausend. Nun war das lustig anzusehen. Sie ging mit ausgestrecktem Arme im Kreise herum, eins!, fing der Erste an, der Nachbar zwei!, drei! der Folgende und so fort; dann fing sie an, geschwinder zu gehn, immer geschwinder. Da versah's einer, patsch, eine Ohrfeige, und über das Gelächter der Folgende auch patsch! Und immer geschwinder. Ich selbst kriegte zwei Maulschellen[1] und glaubte mit innigem Vergnügen zu bemerken, dass sie stärker seien, als sie sie den Übrigen zuzumessen pflegte. Ein allgemeines Gelächter und Geschwärme machte dem Spiele ein Ende, ehe noch das Tausend ausgezählt war. Die Vertrautesten zogen einander beiseite, das Gewitter war vorüber und ich folgte Lotten in den Saal. Unterwegs sagte sie: Über die Ohrfeigen haben sie Wetter und alles vergessen! Ich konnte ihr nichts anworten. Ich war, fuhr sie fort, eine der Furchtsamsten, und indem ich mich herzhaft stellte, um den andern Mut zu geben, bin ich mutig geworden. Wir traten ans Fenster, es donnerte abseitwärts und der herrliche Regen säuselte auf das Land und der erquickendste Wohlgeruch stieg in aller Fülle einer warmen Luft zu uns auf. Sie stand auf ihrem Ellenbogen gestützt, und ihr Blick durchdrang die Gegend, sie sah gen Himmel und auf mich, ich sah ihr Auge tränenvoll, sie legte ihre Hand auf die meinige und sagte – Klopstock[2]! Ich versank in dem Strome von Empfindungen, den sie in dieser Losung über mich ausgoss. Ich ertrug's nicht, neigte mich auf ihre Hand und küsste sie unter den wonnevollesten Tränen. Und sah nach ihrem Auge wieder – Edler! hättest du deine Vergötterung in diesem Blicke gesehn und möcht ich nun deinen so oft entweihten Namen nie wieder nennen hören!

*

1 Ohrfeigen
2 der erste bedeutende deutsche Erlebnislyriker (1724–1803), der vor allem von jungen Zeitgenossen geschätzt und geachtet wurde

am 19. Juni.

Wo ich neulich mit meiner Erzählung geblieben bin, weiß ich nicht mehr, das weiß ich, dass es zwei Uhr des Nachts war, als ich zu Bette kam, und dass, wenn ich dir 5 hätte vorschwätzen können, statt zu schreiben, ich dich vielleicht bis an Tag aufgehalten hätte.
Was auf unserer Hereinfahrt[1] vom Balle passiert ist, hab ich noch nicht erzählt, hab auch heut keinen Tag dazu.
Es war der liebwürdigste Sonnenaufgang. Der tröpfeln- 10 de Wald und das erfrischte Feld umher! Unsere Gesellschafterinnen nickten ein. Sie fragte mich, ob ich nicht auch von der Partie sein wollte, ihrentwegen sollt ich unbekümmert sein. Solang ich diese Augen offen sehe, sagt' ich und sah sie fest an, so lang hat's keine Gefahr. 15 Und wir haben beide ausgehalten bis an ihr Tor, da ihr die Magd leise aufmachte und auf ihr Fragen vom Vater und den Kleinen versicherte, dass alles wohl sei und noch schlief. Und da verließ ich sie mit dem Versichern: sie selbigen Tags noch zu sehn, und hab mein Verspre- 20 chen gehalten, und seit der Zeit können Sonne, Mond und Sterne geruhig ihre Wirtschaft treiben, ich weiß weder, dass Tag noch dass Nacht ist, und die ganze Welt verliert sich um mich her.

*

am 21. Juni.

25 Ich lebe so glückliche Tage, wie sie Gott seinen Heiligen ausspart[2], und mit mir mag werden, was will; so darf ich nicht sagen, dass ich die Freuden, die reinsten Freuden des Lebens nicht genossen habe. Du kennst mein Wahlheim. Dort bin ich völlig etabliert[3]. Von dort hab 30 ich nur eine halbe Stunde zu Lotten, dort fühl ich mich selbst und alles Glück, das dem Menschen gegeben ist. Hätte ich gedacht, als ich mir Wahlheim zum Zwecke meiner Spaziergänge wählte, dass es so nahe am Him-

---

1 Heimfahrt in die Stadt (die damals noch mit Mauern und Toren umgeben war)
2 vorbehält
3 ansässig, zu Hause

mel läge! Wie oft habe ich das Jagdhaus, das nun alle meine Wünsche einschließt, auf meinen weiten Wandrungen bald vom Berge, bald in der Ebne über den Fluss gesehn.
Lieber Wilhelm, ich habe allerlei nachgedacht, über die Begier im Menschen sich auszubreiten, neue Entdeckungen zu machen, herumzuschweifen; und dann wieder über den innern Trieb, sich der Einschränkung willig zu ergeben und in dem Gleise der Gewohnheit so hinzufahren und sich weder um rechts noch links zu bekümmern.

Es ist wunderbar, wie ich hierher kam und vom Hügel in das schöne Tal schaute, wie es mich ringsumher anzog. Dort das Wäldchen! Ach, könntest du dich in seine Schatten mischen! Dort die Spitze des Bergs! Ach, könntest du von da die weite Gegend überschauen! Die ineinandergeketteten Hügel und vertraulichen Täler. O könnte ich mich in ihnen verlieren! – Ich eilte hin! Und kehrte zurück und hatte nicht gefunden, was ich hoffte. O es ist mit der Ferne wie mit der Zukunft! Ein großes dämmerndes Ganze ruht vor unserer Seele, unsere Empfindung verschwimmt sich darin, wie unser Auge, und wir sehnen uns, ach! unser ganzes Wesen hinzugeben, uns mit all der Wonne eines einzigen großen, herrlichen Gefühls ausfüllen zu lassen. – Und ach, wenn wir hinzueilen, wenn das Dort nun Hier wird, ist alles vor wie nach, und wir stehen in unserer Armut, in unserer Eingeschränktheit, und unsere Seele lechzt nach entschlüpftem Labsale[1].
Und so sehnt sich der unruhigste Vagabund[2] zuletzt wieder nach seinem Vaterlande und findet in seiner Hütte, an der Brust seiner Gattin, in dem Kreise seiner Kinder und der Geschäfte zu ihrer Erhaltung all die Wonne, die er in der weiten öden Welt vergebens suchte.
Wenn ich so des Morgens mit Sonnenaufgange hinausgehe nach meinem Wahlheim und dort im Wirtsgarten mir meine Zuckererbsen selbst pflücke, mich hinsetze und sie abfädme[3] und dazwischen lese in meinem Ho-

1 Erquickung
2 Landstreicher, Herumtreiber
3 den Faden der Schote herunterziehen, abwinden

mer. Wenn ich denn in der kleinen Küche mir einen Topf wähle, mir Butter aussteche, meine Schoten ans Feuer stelle, zudecke und mich dazusetze, sie manchmal umzuschütteln. Da fühl ich so lebhaft, wie die herrlichen
5 übermütigen Freier der Penelope[1] Ochsen und Schweine schlachten, zerlegen und braten. Es ist nichts, das mich so mit einer stillen, wahren Empfindung ausfüllte als die Züge patriarchalischen Lebens, die ich, Gott sei Dank, ohne Affektation[2] in meine Lebensart verweben
10 kann.
Wie wohl ist mir's, dass mein Herz die simple harmlose Wonne des Menschen fühlen kann, der ein Krauthaupt auf seinen Tisch bringt, das er selbst gezogen, und nun nicht den Kohl allein, sondern all die guten Tage, den
15 schönen Morgen, da er ihn pflanzte, die lieblichen Abende, da er ihn begoss und da er an dem fortschreitenden Wachstume seine Freude hatte, alle in einem Augenblicke wieder mitgenießt.

*

am 29. Juni.

20 Vorgestern kam der Medikus[3] hier aus der Stadt hinaus zum Amtmanne und fand mich auf der Erde unter Lottens Kindern, wie einige auf mir herumkrabbelten, andere mich neckten und wie ich sie kützelte und ein großes Geschrei mit ihnen verführte. Der Doktor, der ei-
25 ne sehr dogmatische Drahtpuppe[4] ist und im Diskurs[5] seine Manschetten[6] in Falten legt und den Kräusel[7] bis zum Nabel herauszupft, fand dieses unter der Würde eines gescheuten Menschen, das merkte ich an seiner

---

1 Gattin des Odysseus, in dessen Abwesenheit von vielen Freiern umworben
2 Ziererei
3 Arzt
4 hier: ein Mann, der die Vorurteile der Gesellschaft ungeprüft übernimmt und sich davon leiten lässt wie eine Marionette durch die Drähte in der Hand des Puppenspielers
5 Gespräch
6 Handkrause (Spitzenvorsatz am Hemdsärmel)
7 Halskrause

Nase. Ich ließ mich aber in nichts stören, ließ ihn sehr vernünftige Sachen abhandeln und baute den Kindern ihre Kartenhäuser wieder, die sie zerschlagen hatten. Auch ging er darauf in der Stadt herum und beklagte: des Amtsmanns Kinder wären schon ungezogen genug, 5 der Werther verdürbe sie nun völlig.
Ja, lieber Wilhelm, meinem Herzen sind die Kinder am nächsten auf der Erde. Wenn ich so zusehe und in dem kleinen Dinge die Keime aller Tugenden, aller Kräfte sehe, die sie einmal so nötig brauchen werden, wenn ich 10 in dem Eigensinne alle die künftige Standhaftigkeit und Festigkeit des Charakters, in dem Mutwillen allen künftigen guten Humor[1] und die Leichtigkeit, über alle die Gefahren der Welt hinzuschlüpfen, erblicke, alles so unverdorben, so ganz! Immer, immer wiederhol ich die 15 goldnen Worte des Lehrers der Menschen[2]: Wenn ihr nicht werdet wie eines von diesen[3]! Und nun, mein Bester, sie, die unsersgleichen sind, die wir als unsere Muster ansehen sollten, behandeln wir als Untertanen. Sie sollen keinen Willen haben! – Haben wir denn kei- 20 nen? Und wo liegt das Vorrecht? – Weil wir älter sind und gescheuter? – Guter Gott von deinem Himmel, alte Kinder siehst du und junge Kinder und nichts weiter, und an welchen du mehr Freude hast, das hat dein Sohn schon lange verkündigt. Aber sie glauben an ihn und 25 hören ihn nicht, das ist auch was Alt's, und bilden ihre Kinder nach sich und – Adieu, Wilhelm, ich mag darüber nicht weiter radotieren[4].

*

am 1. Juli.

Was Lotte einem Kranken sein muss, fühl ich an meinem 30 eignen armen Herzen, das übler dran ist als manches,

---

1 Laune
2 Worte Christi
3 Anspielung auf Matth. 18,3: „Wahrlich, ich sage euch: Wenn ihr nicht umkehrt und werdet wie die Kinder, so werdet ihr nicht ins Himmelreich kommen."
4 schwätzen

das auf dem Siechbette verschmachtet. Sie wird einige Tage in der Stadt bei einer rechtschaffenen Frau zubringen, die sich nach der Aussage der Ärzte ihrem Ende naht, und in diesen letzten Augenblicken will sie Lotten um sich haben. Ich war vorige Woche mit ihr den Pfarrer von St.. zu besuchen, ein Örtchen, das eine Stunde seitwärts im Gebürge liegt. Wir kamen gegen viere dahin. Lotte hatte ihre zweite Schwester mitgenommen. Als wir in den von zwei hohen Nussbäumen überschatteten Pfarrhof traten, saß der gute alte Mann auf einer Bank vor der Haustüre, und da er Lotten sah, ward er wie neu belebt, vergaß seinen Knotenstock und wagte sich auf, ihr entgegen. Sie lief hin zu ihm, nötigte ihn, sich niederzusetzen, indem sie sich zu ihm setzte, brachte viel Grüße von ihrem Vater, herzte seinen garstigen schmutzigen jüngsten Buben, das Quakelchen[1] seines Alters. Du hättest sie sehen sollen, wie sie den Alten beschäftigte, wie sie ihre Stimme erhub, um seinen halb tauben Ohren vernehmlich zu werden, wie sie ihm erzählte von jungen robusten Leuten, die unvermutet gestorben wären, von der Vortrefflichkeit des Karlsbades[2], und wie sie seinen Entschluss lobte, künftigen Sommer hinzugehen, und wie sie fand, dass er viel besser aussähe, viel munterer sei als das letzte Mal, da sie ihn gesehn. Ich hatte indes der Frau Pfarrern meine Höflichkeiten gemacht, der Alte wurde ganz munter, und da ich nicht umhin konnte, die schönen Nussbäume zu loben, die uns so lieblich beschatteten, fing er an, uns, wiewohl mit einiger Beschwerlichkeit, die Geschichte davon zu geben. Den alten, sagte er, wissen wir nicht, wer den gepflanzt hat, einige sagen dieser, andere jener Pfarrer. Der jüngere aber dort hinten ist so alt als meine Frau, im Oktober funfzig Jahre. Ihr Vater pflanzte ihn des Morgens, als sie gegen Abend geboren wurde. Er war mein Vorfahr im Amte[3], und wie lieb ihm der Baum war, ist nicht

1 Nesthäkchen
2 Kur- und Badeort an der Tepl im nordwestlichen Böhmen, heute: Karlovy Vary (Tschechien)
3 Amtsvorgänger

zu sagen, mir ist er's gewiss nicht weniger, meine Frau saß drunter auf einem Balken und strickte, als ich vor siebenundzwanzig Jahren als ein armer Student zum ersten Mal hier in den Hof kam. Lotte fragte nach seiner Tochter, es hieß, sie sei mit Herrn Schmidt auf der Wiese hinaus zu den Arbeitern, und der Alte fuhr in seiner Erzählung fort, wie sein Vorfahr ihn liebgewonnen und die Tochter dazu, und wie er erst sein Vikar und dann sein Nachfolger geworden. Die Geschichte war nicht lange zu Ende, als die Jungfer Pfarrern mit dem sogenannten Herrn Schmidt durch den Garten herkam, sie bewillkommte Lotten mit herzlicher Wärme, und ich muss sagen, sie gefiel mir nicht übel, eine rasche, wohlgewachsne Brünette, die einen die Kurzeit über auf dem Lande wohl unterhalten hätte. Ihr Liebhaber, denn als solchen stellte sich Herr Schmidt gleich dar, ein feiner, doch stiller Mensch, der sich nicht in unsere Gespräche mischen wollte, ob ihn gleich Lotte immer hereinzog, und was mich am meisten betrübte, war, dass ich an seinen Gesichtszügen zu bemerken schien, es sei mehr Eigensinn und übler Humor als Eingeschränktheit des Verstandes, der ihn sich mitzuteilen hinderte. In der Folge ward dies nur leider zu deutlich, denn als Friederike beim Spazierengehn mit Lotten und verschiedentlich auch mit mir ging, wurde des Herrn Angesicht, das ohne das einer bräunlichen Farbe war, so sichtlich verdunkelt, dass es Zeit war, dass Lotte mich beim Ärmel zupfte und mir das Artigtun[1] mit Friederiken abriet. Nun verdrießt mich nichts mehr, als wenn die Menschen einander plagen, am meisten, wenn junge Leute in der Blüte des Lebens, da sie am offensten für alle Freuden sein könnten, einander die paar guten Tage mit Fratzen[2] verderben und nur erst zu spät das Unersetzliche ihrer Verschwendung einsehen. Mich wurmte das, und ich konnte nicht umhin, da wir gegen Abend in den Pfarrhof zurückkehrten und an einem Tische gebrocktes Brot in

1 das Schöntun, freundliche Verhalten
2 hässliche, mürrische Gesichter

Milch aßen und der Diskurs auf Freude und Leid in der Welt roulierte[1], den Faden zu ergreifen und recht herzlich gegen die üble Laune zu reden. Wir Menschen beklagen uns oft, fing ich an, dass der guten Tage so wenig sind und der schlimmen so viel, und wie mich dünkt, meist mit Unrecht. Wenn wir immer ein offenes Herz hätten, das Gute zu genießen, das uns Gott für jeden Tag bereitet, wir würden alsdenn auch Kraft genug haben, das Übel zu tragen, wenn es kommt. – Wir haben aber unser Gemüt nicht in unserer Gewalt, versetzte die Pfarrern, wie viel hängt vom Körper ab! Wenn man nicht wohl ist, ist's einem überall nicht recht. – Ich gestund ihr das ein. Wir wollen's also, fuhr ich fort, als eine Krankheit ansehen, und fragen, ob dafür kein Mittel ist! – Das lässt sich hören, sagte Lotte, ich glaube wenigstens, dass viel von uns abhängt, ich weiß es an mir, wenn mich etwas neckt[2] und mich verdrüsslich machen will, spring ich auf und sing ein paar Kontretänze den Garten auf und ab, gleich ist's weg. – Das war's, was ich sagen wollte, versetzte ich, es ist mit der üblen Laune völlig wie mit der Trägheit, denn es ist eine Art von Trägheit, unsere Natur hängt sehr dahin[3], und doch, wenn wir nur einmal die Kraft haben, uns zu ermannen, geht uns die Arbeit frisch von der Hand, und wir finden in der Tätigkeit ein wahres Vergnügen. Friederike war sehr aufmerksam, und der junge Mensch wandte mir ein, dass man nicht Herr über sich selbst sei und am wenigsten über seine Empfindungen gebieten könne. Es ist hier die Frage von einer unangenehmen Empfindung, versetzt ich, die doch jedermann gern los ist, und niemand weiß, wie weit seine Kräfte gehn, bis er sie versucht hat. Gewiss, einer, der krank ist, wird bei allen Ärzten herumfragen und die größten Resignationen[4], die bittersten Arzneien, wird er nicht abweisen, um seine

---

1 zurückkam
2 ärgert
3 neigt sehr dazu
4 hier: Einschränkungen, Entsagungen

gewünschte Gesundheit zu erhalten. Ich bemerkte, dass der ehrliche Alte sein Gehör anstrengte, um an unserm Diskurs teilzunehmen, ich erhub die Stimme, indem ich die Rede gegen ihn wandte. Man predigt gegen so viele Laster, sagt ich, ich habe noch nie gehört, dass man gegen die üble Laune vom Predigtstuhle[1] gearbeitet hätte*. – Das müssten die Stadtpfarrer tun, sagt er, die Bauern haben keinen bösen Humor, doch könnt's auch nichts schaden zuweilen, es wäre eine Lektion, für seine Frau wenigstens, und den Herrn Amtmann. Die Gesellschaft lachte und er herzlich mit, bis er in einen Husten verfiel, der unsern Diskurs eine Zeit lang unterbrach, darauf denn der junge Mensch wieder das Wort nahm: Sie nannten den bösen Humor ein Laster, mich däucht[3], das ist übertrieben. – Mitnichten, gab ich zur Antwort, wenn das, womit man sich selbst und seinen Nächsten schadet, den Namen verdient. Ist es nicht genug, dass wir einander nicht glücklich machen können, müssen wir auch noch einander das Vergnügen rauben, das jedes Herz sich noch manchmal selbst gewähren kann. Und nennen Sie mir den Menschen, der übler Laune ist und so brav dabei, sie zu verbergen, sie allein zu tragen, ohne die Freuden um sich her zu zerstören; oder ist sie nicht vielmehr ein innerer Unmut über unsere eigne Unwürdigkeit, ein Missfallen an uns selbst, das immer mit einem Neide verknüpft ist, der durch eine törige Eitelkeit aufgehetzt wird: Wir sehen glückliche Menschen, die wir nicht glücklich machen, und das ist unerträglich! Lotte lächelte mich an, da sie die Bewegung sah, mit der ich redete, und eine Träne in Friederikens Auge spornte mich fortzufahren. Weh denen, sagt ich, die sich der Ge-

---

* *Wir haben nun von Lavatern[2] eine treffliche Predigt hierüber, unter denen über das Buch Jonas.*

1 Kanzel

2 Johann Kaspar Lavater (1741–1801) veröffentlichte 1773 „Predigten über das Buch Jonas“, darunter eine über „Mittel gegen Unzufriedenheit und üble Laune“.

3 ich meine, denke

walt bedienen, die sie über ein Herz haben, um ihm die einfachen Freuden zu rauben, die aus ihm selbst hervorkeimen. Alle Geschenke, alle Gefälligkeiten der Welt ersetzen nicht einen Augenblick Vergnügen an sich selbst, 5 den uns eine neidische Unbehaglichkeit unsers Tyrannen vergällt hat.

Mein ganzes Herz war voll in diesem Augenblicke, die Erinnerung so manches Vergangenen drängte sich an meine Seele und die Tränen kamen mir in die Augen.

10 Wer sich das nur täglich sagte, rief ich aus: Du vermagst nichts auf deine Freunde, als ihnen ihre Freude zu lassen und ihr Glück zu vermehren, indem du es mit ihnen genießest. Vermagst du, wenn ihre innre Seele von einer ängstigenden Leidenschaft gequält, vom Kummer zer- 15 rüttet ist, ihnen einen Tropfen Linderung zu geben?

Und wenn die letzte bangste[1] Krankheit dann über das Geschöpf herfällt, das du in blühenden Tagen untergraben hast, und sie nun daliegt in dem erbärmlichen Ermatten und das Aug gefühllos gen Himmel sieht, und 20 der Todesschweiß auf ihrer Stirne abwechselt, und du vor dem Bette stehst wie ein Verdammter, in dem innigsten Gefühl, dass du nichts vermagst mit all deinem Vermögen, und die Angst dich inwendig krampft, dass du alles hingeben möchtest, um dem unterge- 25 henden Geschöpf einen Tropfen Stärkung, einen Funken Mut einflößen zu können.

Die Erinnerung einer solchen Szene, da ich gegenwärtig war, fiel mit ganzer Gewalt bei diesen Worten über mich. Ich nahm das Schnupftuch vor die Augen und 30 verließ die Gesellschaft, und nur Lottens Stimme, die mir rief: wir wollten fort, brachte mich zu mir selbst. Und wie sie mich auf dem Wege schalt über den zu warmen Anteil an allem! Und dass ich drüber zugrunde gehen würde! Dass ich mich schonen sollte! O der Engel! 35 Um deinetwillen muss ich leben!

*

1 schrecklichste, fürchterlichste

am 6. Juli.

Sie ist immer um ihre sterbende Freundin und ist immer dieselbe, immer das gegenwärtige holde Geschöpf[1], das, wo sie hinsieht, Schmerzen lindert und Glückliche macht. Sie ging gestern Abend mit Mariannen und dem kleinen Malchen spazieren, ich wusst es und traf sie an, und wir gingen zusammen. Nach einem Wege von anderthalb Stunden kamen wir gegen die Stadt zurück an den Brunnen, der mir so wert ist und nun tausendmal werter ward, als Lotte sich aufs Mäuerchen setzte. Ich sah umher, ach! und die Zeit, da mein Herz so allein war, lebte wieder vor mir auf. Lieber Brunn, sagt ich, seither hab ich nicht mehr an deiner Kühle geruht, habe in eilendem Vorübergehn dich manchmal nicht angesehn. Ich blickte hinab und sah, dass Malchen mit einem Glase Wasser sehr beschäftigt heraufstieg. Ich sahe Lotten an und fühlte alles, was ich an ihr habe. Indem so kommt Malchen mit einem Glase, Marianne wollt es ihr abnehmen, nein!, rufte das Kind mit dem süßten Ausdrucke: nein, Lottchen, du sollst zuerst trinken! Ich ward über die Wahrheit, die Güte, womit sie das ausrief, so entzückt, dass ich meine Empfindung mit nichts ausdrucken konnte, als ich nahm das Kind von der Erde und küsste es lebhaft, das sogleich zu schreien und zu weinen anfing. Sie haben übel getan, sagte Lotte! Ich war betroffen. Komm, Malchen, fuhr sie fort, indem sie es an der Hand nahm und die Stufen hinabführte; da wasche dich aus der frischen Quelle geschwind, geschwind, da tut's nichts. Wie ich so dastund und zusah, mit welcher Emsigkeit das Kleine mit seinen nassen Händchen die Backen rieb, mit welchem Glauben, dass durch die Wunderquelle alle Verunreinigung abgespült und die Schmach abgetan würde, einen hässlichen Bart zu kriegen[2]. Wie Lotte sagte, es ist genug, und das Kind doch immer eifrig fortwusch, als wenn viel mehr täte als wenig. Ich sage dir, Wilhelm, ich habe mit mehr Respekt

[1] das durch aufmerksame Gegenwart helfende Wesen
[2] Lottes Schwesterchen glaubte anscheinend, dass kleine Mädchen vom Männerkuss einen hässlichen Bart bekämen.

nie einer Taufhandlung beigewohnt, und als Lotte heraufkam, hätte ich mich gern vor ihr niedergeworfen wie vor einem Propheten, der die Schulden einer Nation weggeweiht hat.
Des Abends konnt ich nicht umhin, in der Freude meines Herzens den Vorfall einem Manne zu erzählen, dem ich Menschensinn zutraute, weil er Verstand hat. Aber wie kam ich an. Er sagte, das wäre sehr übel von Lotten gewesen, man solle die Kinder nichts weismachen, dergleichen gäbe zu unzähligen Irrtümern und Aberglauben Anlass, man müsste die Kinder frühzeitig davor bewahren. Nun fiel mir ein, dass der Mann vor acht Tagen hatte taufen lassen, drum ließ ich's vorbeigehn und blieb in meinem Herzen der Wahrheit getreu: Wir sollen es mit den Kindern machen wie Gott mit uns, der uns am glücklichsten macht, wenn er uns im freundlichen Wahne so hintaumeln lässt.

*

am 8. Juli.

Was man ein Kind ist! Was man nach so einem Blicke geizt[1]! Was man ein Kind ist! Wir waren nach Wahlheim gegangen, die Frauenzimmer fuhren hinaus, und während unsrer Spaziergänge glaubt ich in Lottens schwarzen Augen – Ich bin ein Tor, verzeih mir's, du solltest sie sehn, diese Augen. Dass ich kurz bin[2], denn die Augen fallen mir zu vom Schlaf. Siehe, die Frauenzimmer steigen ein, da stunden um die Kutsche der junge W.., Selstadt und Audran und ich. Da ward aus dem Schlage geplaudert mit den Kerlchens, die freilich leicht und lüftig genug waren. Ich suchte Lottens Augen! Ach, sie gingen von einem zum andern! Aber auf mich! Mich! Mich! der ganz allein auf sie resigniert[3] dastund, fielen sie nicht! Mein Herz sagte ihr tausend Adieu! Und sie sah mich nicht! Die Kutsche fuhr vorbei und eine Träne stund mir im Auge. Ich sah ihr nach! Und sah Lottens

[1] hier: sich sehnt
[2] um es kurz zu machen
[3] ihr ganz ergeben

Kopfputz sich zum Schlag herauslehnen, und sie wandte sich um zu sehn. Ach! Nach mir? – Lieber! In dieser Ungewissheit schweb ich! Das ist mein Trost. Vielleicht hat sie sich nach mir umgesehen. Vielleicht – Gute Nacht! O was ich ein Kind bin!

*

am 10. Juli.

Die alberne Figur, die ich mache, wenn in Gesellschaft von ihr gesprochen wird, solltest du sehen. Wenn man mich nun gar fragt, wie sie mir gefällt – Gefällt! Das Wort hass ich in Tod. Was muss das für ein Kerl sein, dem Lotte gefällt, dem sie nicht alle Sinnen, alle Empfindungen ausfüllt. Gefällt! Neulich fragte mich einer, wie mir Ossian[1] gefiele.

*

am 11. Juli.

Frau M.. ist sehr schlecht, ich bete für ihr Leben, weil ich mit Lotten dulde. Ich seh sie selten bei einer Freundin, und heut hat sie mir einen wunderbaren Vorfall erzählt. Der alte M.. ist ein geiziger rangiger[2] Hund, der seine Frau im Leben was recht's geplagt und eingeschränkt hat. Doch hat sich die Frau immer durchzuhelfen gewusst. Vor wenig Tagen, als der Doktor ihr das Leben abgesprochen hatte, ließ sie ihren Mann kommen, Lotte war im Zimmer und redte ihn also an: Ich muss dir eine Sache gestehn, die nach meinem Tode Verwirrung und Verdruss machen könnte. Ich habe bisher die Haushaltung geführt, so ordentlich und sparsam als möglich, allein du wirst mir verzeihen, dass ich dich diese dreißig Jahre her hintergangen habe. Du bestimmtest im Anfange unserer Heirat ein Geringes für die Bestreitung der Küche und anderer häuslichen Ausgaben. Als unsere Haushaltung stärker wurde, unser Gewerb größer, warst du nicht zu bewegen, mein Wochengeld

[1] Ossian-Gesänge, Dichtungen des schottischen Dichters James Macpherson (1736–1796)

[2] habgieriger

nach dem Verhältnisse zu vermehren, kurz, du weißt, dass du in den Zeiten, da sie am größten war, verlangtest, ich solle mit sieben Gulden die Woche auskommen. Die hab ich denn ohne Widerrede genommen und mir den Überschuss wöchentlich aus der Losung[1] geholt, da niemand vermutete, dass die Frau die Kasse bestehlen würde. Ich habe nichts verschwendet und wäre auch, ohne es zu bekennen, getrost der Ewigkeit entgegengegangen, wenn nicht diejenige, die nach mir das Wesen[2] zu führen hat, sich nicht zu helfen wissen würde und du doch immer drauf bestehen könntest, deine erste Frau sei damit ausgekommen.
Ich redete mit Lotten über die unglaubliche Verblendung des Menschensinns, dass einer nicht argwohnen soll, dahinter müsse was anders stecken, wenn eins mit sieben Gulden hinreicht, wo man den Aufwand vielleicht um zweimal so viel sieht. Aber ich hab selbst Leute gekannt, die des Propheten ewiges Ölkrüglein[3] ohne Verwunderung in ihrem Hause statuiert[4] hätten.

*

am 13. Juli.

Nein, ich betrüge mich nicht! Ich lese in ihren schwarzen Augen wahre Teilnehmung an mir und meinem Schicksale. Ja ich fühle, und darin darf ich meinem Herzen trauen, dass sie – O darf ich, kann ich den Himmel in diesen Worten aussprechen? – dass sie mich liebt.
Mich liebt! Und wie wert ich mir selbst werde! Wie ich – dir darf ich's wohl sagen, du hast Sinn für so etwas – wie ich mich selbst anbete, seitdem sie mich liebt.
Und ob das Vermessenheit ist oder Gefühl des wahren Verhältnisses: Ich kenne den Menschen nicht, von dem ich etwas in Lottens Herzen fürchtete. Und doch – wenn sie von ihrem Bräutigam spricht mit all der Wärme, all der Liebe, da ist mir's wie einem, der all seiner Ehren

[1] hier: aus Verkauf gewonnenes Bargeld
[2] hier: Hauswesen
[3] Anspielung auf 1. Kön. 17,16: „und dem Ölkrug mangelte nichts nach dem Wort des Herrn, das er durch Elia geredet hatte."
[4] aufgestellt

und Würden entsetzt[1] und dem der Degen abgenommen wird[2].

*

am 16. Juli.

Ach, wie mir das durch alle Adern läuft, wenn meine Finger unversehens den ihrigen berührt, wenn unsere Füße sich unter dem Tische begegnen. Ich ziehe zurück wie vom Feuer und eine geheime Kraft zieht mich wieder vorwärts, mir wird's so schwindlig von allen Sinnen. O und ihre Unschuld, ihre unbefangene Seele fühlt nicht, wie sehr mich die kleinen Vertrautheiten peinigen. Wenn sie gar im Gespräch ihre Hand auf die meinige legt und im Interesse der Unterredung näher zu mir rückt, dass der himmlische Atem ihres Mundes meine Lippen reichen kann. – Ich glaube zu versinken wie vom Wetter gerührt. Und Wilhelm, wenn ich mich jemals unterstehe, diesen Himmel, dieses Vertrauen – du verstehst mich. Nein, mein Herz ist so verderbt nicht! Schwach! Schwach genug! Und ist das nicht Verderben? Sie ist mir heilig. Alle Begier schweigt in ihrer Gegenwart. Ich weiß nimmer, wie mir ist, wenn ich bei ihr bin, es ist, als wenn die Seele sich mir in allen Nerven umkehrte. Sie hat eine Melodie, die sie auf dem Klavier spielt mit der Kraft eines Engels, so simpel und so geistvoll, es ist ihr Leiblied, und mich stellt es von aller Pein, Verwirrung und Grillen[3] her[4], wenn sie nur die erste Note davon greift.

Kein Wort von der Zauberkraft der alten Musik ist mir unwahrscheinlich, wie mich der einfache Gesang angreift. Und wie sie ihn anzubringen weiß oft zur Zeit, wo ich mir eine Kugel vor'n Kopf schießen möchte. Und all die Irrung und Finsternis meiner Seele zerstreut sich, und ich atme wieder freier.

---

1 entblößt, des Ranges enthoben

2 Der Verlust des Degens, der im 18. und 19. Jh. Rangwaffe für Offiziere und Kavaliere war, bedeutete Degradierung.

3 Modewort des 18. Jh.s für unfruchtbare, grüblerische, verworrene Gedanken

4 befreit mich von ...

am 18. Juli.

Wilhelm, was ist unserm Herzen die Welt ohne Liebe! Was eine Zauberlaterne[1] ist, ohne Licht! Kaum bringst du das Lämpchen hinein, so scheinen dir die buntesten Bilder an deine weiße Wand! Und wenn's nichts wäre als das, als vorübergehende Phantomen[2], so macht's doch immer unser Glück, wenn wir wie frische Bubens[3] davorstehen und uns über die Wundererscheinungen entzücken. Heut konnt ich nicht zu Lotten, eine unvermeidliche Gesellschaft hielt mich ab. Was war zu tun. Ich schickte meinen Buben[4] hinaus, nur um einen Menschen um mich zu haben, der ihr heute nahe gekommen wäre. Mit welcher Ungeduld ich den Buben erwartete, mit welcher Freude ich ihn wiedersah. Ich hätt ihn gern beim Kopf genommen und geküsst, wenn ich mich nicht geschämt hätte.

Man erzählt von dem Bononischen Stein[5], dass er, wenn man ihn in die Sonne legt, ihre Strahlen anzieht und eine Weile bei Nacht leuchtet. So war mir's mit dem Jungen. Das Gefühl, dass ihre Augen auf seinem Gesicht, seinen Backen, seinen Rockknöpfen und dem Kragen am Surtout[6] geruht hatten, machte mir das all so heilig, so wert, ich hätte in dem Augenblicke den Jungen nicht vor tausend Taler gegeben. Es war mir so wohl in seiner Gegenwart – Bewahre dich Gott, dass du darüber nicht lachst. Wilhelm, sind das Phantomen, wenn es uns wohl wird?

*

den 19. Juli.

Ich werde sie sehen: ruf ich morgens aus, wenn ich mich ermuntere und mit aller Heiterkeit der schönen Sonne entgegenblicke. Ich werde sie sehen! Und da hab ich für

---

[1] Laterna magica zum Sichtbarmachen von Bildern
[2] Trugbilder
[3] kleine Jungen
[4] hier: junger Bediensteter
[5] Stein mit phosphoreszierender Wirkung
[6] frz., Überrock, Jacke

den ganzen Tag keinen Wunsch weiter. Alles, alles verschlingt sich in dieser Aussicht.

*

den 20. Juli.

Eure Idee will noch nicht die meinige werden, dass ich mit dem Gesandten nach *** gehen soll. Ich liebe die Subordination[1] nicht sehr, und wir wissen alle, dass der Mann noch dazu ein widriger Mensch ist. Meine Mutter möchte mich gern in Aktivität haben, sagst du, das hat mich zu lachen gemacht, bin ich jetzt nicht auch aktiv? Und ist's im Grund nicht einerlei: ob ich Erbsen zähle oder Linsen? Alles in der Welt läuft doch auf eine Lumperei hinaus, und ein Kerl, der um anderer willen, ohne dass es seine eigene Leidenschaft ist, sich um Geld oder Ehre oder sonst was abarbeitet, ist immer ein Tor.

*

am 24. Juli.

Da dir so viel daran gelegen ist, dass ich mein Zeichnen nicht vernachlässige, möcht ich lieber die ganze Sache übergehn, als dir zu sagen: dass zeither[2] wenig getan wird.

Noch nie war ich glücklicher, noch nie meine Empfindung an der Natur, bis aufs Steinchen, aufs Gräschen herunter, voller und inniger, und doch – ich weiß nicht, wie ich mich ausdrücken soll, meine vorstellende Kraft ist so schwach, alles schwimmt, schwankt vor meiner Seele, dass ich keinen Umriss packen kann; aber ich bilde mir ein, wenn ich Ton hätte oder Wachs, so wollt ich's wohl herausbilden, ich werde auch Ton nehmen, wenn's länger währt, und kneten, und sollten's Kuchen werden.

Lottens Porträt habe ich dreimal angefangen und habe mich dreimal prostituiert[3], das mich umso mehr verdrießt, weil ich vor einiger Zeit sehr glücklich im Treffen

1 Unterordnung
2 seither, bisher
3 hier: blamiert, lächerlich gemacht

war, darauf hab ich denn ihren Schattenriss gemacht, und damit soll mir genügen.

*

am 26. Juli.

Ich habe mir schon so manchmal vorgenommen, sie nicht so oft zu sehn. Ja, wer das halten könnte! Alle Tage unterlieg ich der Versuchung und verspreche mir heilig: Morgen willst du einmal wegbleiben, und wenn der Morgen kommt, find ich doch wieder eine unwiderstehliche Ursache, und eh ich mich's versehe, bin ich bei ihr. Entweder sie hat des Abends gesagt: Sie kommen doch morgen? – Wer könnte da wegbleiben? Oder der Tag ist gar zu schön, ich gehe nach Wahlheim, und wenn ich so da bin – ist's nur noch eine halbe Stunde zu ihr! Ich bin zu nah in der Atmosphäre, zuck!, so bin ich dort. Meine Großmutter hatte ein Märchen vom Magnetenberg[1]. Die Schiffe, die zu nahe kamen, wurden auf einmal alles Eisenwerks beraubt, die Nägel flogen dem Berge zu und die armen Elenden scheiterten zwischen den übereinanderstürzenden Brettern.

*

am 30. Juli.

Albert ist angekommen und ich werde gehen, und wenn er der beste, der edelste Mensch wäre, unter den ich mich in allem Betracht zu stellen bereit wäre, so wär's unerträglich, ihn vor meinem Angesichte im Besitze so vieler Vollkommenheiten zu sehen. Besitz! – Genug, Wilhelm, der Bräutigam ist da. Ein braver, lieber Kerl, dem man gut sein muss. Glücklicherweise war ich nicht beim Empfange! Das hätte mir das Herz zerrissen. Auch ist er so ehrlich und hat Lotten in meiner Gegenwart noch nicht einmal geküsst. Das lohn ihm Gott! Um des Respekts willen, den er vor dem Mädchen hat, muss ich ihn lieben. Er will mir wohl und ich vermute, das ist Lottens Werk mehr als seiner eigenen Empfindung,

---

1 aus „Tausendundeiner Nacht“

denn darin sind die Weiber fein und haben Recht. Wenn sie zwei Kerls in gutem Vernehmen miteinander halten können, ist der Vorteil immer ihr, so selten es auch angeht.
Indes kann ich Alberten meine Achtung nicht versagen, seine gelassne Außenseite sticht gegen die Unruhe meines Charakters sehr lebhaft ab, die sich nicht verbergen lässt, er hat viel Gefühl und weiß, was er an Lotten hat. Er scheint wenig üble Laune zu haben, und du weißt, das ist die Sünde, die ich ärger hasse am Menschen als alle andre.
Er hält mich für einen Menschen von Sinn, und meine Anhänglichkeit an Lotten, meine warme Freude, die ich an all ihren Handlungen habe, vermehrt seinen Triumph, und er liebt sie nur desto mehr. Ob er sie nicht manchmal heimlich mit kleiner Eifersüchtelei peinigt, das lass ich dahingestellt sein, wenigstens an seinem Platze würde ich nicht ganz sicher vor dem Teufel bleiben.
Dem sei nun, wie ihm wolle, meine Freude bei Lotten zu sein, ist hin! Soll ich das Torheit nennen oder Verblendung? – Was braucht's Namen! Erzählt die Sache an sich! – Ich wusste alles, was ich jetzt weiß, eh Albert kam, ich wusste, dass ich keine Prätentionen[1] auf sie zu machen hatte, machte auch keine – Heißt das, insofern es möglich ist, bei so viel Liebenswürdigkeiten nicht zu begehren. – Und jetzt macht der Fratze[2] große Augen, da der andere nun wirklich kommt und ihm das Mädchen wegnimmt.
Ich beiße die Zähne aufeinander und spotte über mein Elend, und spottete derer doppelt und dreifach, die sagen könnten, ich sollte mich resignieren[3], und weil's nun einmal nicht anders sein könnte. – Schafft mir die Kerls vom Hals! – Ich laufe in den Wäldern herum, und wenn ich zu Lotten komme und Albert so bei ihr sitzt im Gärtchen unter der Laube und ich nicht weiterkann, so bin

1 Ansprüche
2 hier: Schimpfwort für ungezogenes Kind, kindische Person
3 mich dareinschicken, mich zurückziehen

ich ausgelassen närrisch und fange viel Possen, viel verwirrtes Zeug an. Um Gottes willen, sagte mir Lotte heute, ich bitte Sie! Keine Szene wie die von gestern Abend! Sie sind fürchterlich, wenn Sie so lustig sind. Unter uns, ich passe die Zeit ab, wenn er zu tun hat, wutsch! bin ich draus[1], und da ist mir's immer wohl, wenn ich sie allein finde.

*

am 8. Aug.

Ich bitte dich, lieber Wilhelm! Es war gewiss nicht auf dich geredt, wenn ich schrieb: Schafft mir die Kerls vom Hals, die sagen, ich sollte mich resignieren. Ich dachte wahrlich nicht dran, dass du von ähnlicher Meinung sein könntest. Und im Grunde hast du Recht! Nur eins, mein Bester, in der Welt ist's sehr selten mit dem Entweder-Oder getan, es gibt so viel Schattierungen der Empfindungen und Handlungsweisen, als Abfälle[2] zwischen einer Habichts- und Stumpfnase.

Du wirst mir also nicht übelnehmen, wenn ich dir dein ganzes Argument einräume und mich doch zwischen dem Entweder-Oder durchzustehlen suche.

Entweder, sagst du, hast du Hoffnung auf Lotten, oder du hast keine. Gut! Im ersten Falle such sie durchzutreiben, suche die Erfüllung deiner Wünsche zu umfassen, im andern Falle ermanne dich und suche einer elenden Empfindung loszuwerden, die all deine Kräfte verzehren muss. Bester, das ist wohl gesagt, und – bald gesagt. Und kannst du von dem Unglücklichen, dessen Leben unter einer schleichenden Krankheit unaufhaltsam allmählich abstirbt, kannst du von ihm verlangen, er solle durch einen Dolchstoß der Qual auf einmal ein Ende machen? Und raubt das Übel, das ihm die Kräfte wegzehrt, ihm nicht auch zugleich den Mut, sich davon zu befreien?

Zwar könntest du mir mit einem verwandten Gleichnisse antworten: Wer ließe sich nicht lieber den Arm ab-

1 draußen (vor der Stadt, in Wahlheim)
2 Abstufungen, Neigungsgrade der Nasenrücken

nehmen, als dass er durch Zaudern und Zagen sein Leben aufs Spiel setzte – Ich weiß nicht – und wir wollen uns nicht in Gleichnissen herumbeißen. Genug – Ja, Wilhelm, ich habe manchmal so einen Augenblick aufspringenden, abschüttelnden Muts, und da, wenn ich nur wüsste wohin, ich ginge wohl.

*

am 10. Aug.

Ich könnte das beste, glücklichste Leben führen, wenn ich nicht ein Tor wäre. So schöne Umstände vereinigen sich nicht leicht zusammen, eines Menschen Herz zu ergötzen, als die sind, in denen ich mich jetzt befinde. Ach, so gewiss ist's, dass unser Herz allein sein Glück macht! Ein Glied der liebenswürdigen Familie auszumachen, von dem Alten geliebt zu werden wie ein Sohn, von den Kleinen wie ein Vater und von Lotten – und nun der ehrliche Albert, der durch keine launische Unart mein Glück stört, der mich mit herzlicher Freundschaft umfasst, dem ich nach Lotten das Liebste auf der Welt bin – Wilhelm, es ist eine Freude uns zu hören, wenn wir spazieren gehn und uns einander von Lotten unterhalten, es ist in der Welt nichts Lächerlichers erfunden worden als dieses Verhältnis, und doch kommen mir drüber die Tränen oft in die Augen.
Wenn er mir so von ihrer rechtschaffenen Mutter erzählt, wie die auf ihrem Todbette Lotten ihr Haus und ihre Kinder übergeben und ihm Lotten anbefohlen habe, wie seit der Zeit ein ganz anderer Geist Lotten belebt, wie sie in Sorge für ihre Wirtschaft[1] und im Ernste eine wahre Mutter geworden, wie kein Augenblick ihrer Zeit ohne tätige Liebe, ohne Arbeit verstrichen, und wie dennoch all ihre Munterkeit, all ihr Leichtsinn sie nicht verlassen habe. Ich gehe so neben ihm hin und pflücke Blumen am Wege, füge sie sehr sorgfältig in einen Strauß und – werfe sie in den vorüberfließenden Strom und sehe ihnen nach, wie sie leise hinunterwallen. Ich weiß nicht, ob ich dir geschrieben habe, dass Albert hierblei-

1 hier: Hauswirtschaft

ben und ein Amt mit einem artigen Auskommen vom Hofe erhalten wird, wo er sehr beliebt ist. In Ordnung und Emsigkeit in Geschäften hab ich wenig seinesgleichen gesehen.

*

am 12. Aug.

Gewiss, Albert ist der beste Mensch unter dem Himmel, ich habe gestern eine wunderbare Szene mit ihm gehabt. Ich kam zu ihm, um Abschied zu nehmen, denn mich wandelte die Lust an, ins Gebürg zu reiten, von daher ich dir auch jetzt schreibe, und wie ich in der Stube auf und ab gehe, fallen mir seine Pistolen in die Augen. Borg mir die Pistolen, sagt ich, zu meiner Reise. Meintwegen, sagt er, wenn du dir die Mühe geben willst, sie zu laden, bei mir hängen sie nur pro forma[1]. Ich nahm eine herunter, und er fuhr fort: Seit mir meine Vorsicht einen so unartigen Streich gespielt hat, mag ich mit dem Zeuge nichts mehr zu tun haben. Ich war neugierig, die Geschichte zu wissen. Ich hielt mich, erzählte er, wohl ein Vierteljahr auf dem Lande bei einem Freunde auf, hatte ein paar Terzerolen[2] ohngeladen und schlief ruhig. Einmal an einem regnigten Nachmittage, da ich so müßig sitze, weiß ich nicht, wie mir einfällt: wir könnten überfallen werden, wir könnten die Terzerols nötig haben und könnten – du weißt ja, wie das ist. Ich gab sie dem Bedienten, sie zu putzen und zu laden, und der dahlt[3] mit den Mädchen, will sie erschröcken und Gott weiß wie, das Gewehr[4] geht los, da der Ladstock noch drinsteckt, und schießt den Ladstock[5] einem Mädchen zur Maus[6] herein, an der rechten Hand, und zerschlägt ihr den Daumen. Da hatt ich das Lamentieren[7] und den

1 lat., der Form wegen
2 ital., kleine Taschenpistolen
3 scherzt, albert
4 die Waffe
5 Stab zum Hinunterstoßen der Ladung in den Lauf der Vorderlader
6 Daumenmuskel in der Handfläche
7 Jammern, Wehklagen

Barbierer[1] zu bezahlen obendrein, und seit der Zeit lass ich all das Gewehr ungeladen. Lieber Schatz, was ist Vorsicht! Die Gefahr lässt sich nicht auslernen! Zwar – Nun weißt du, dass ich den Menschen sehr liebhabe bis auf seine Zwar. Denn versteht sich's nicht von selbst, dass jeder allgemeine Satz Ausnahmen leidet. Aber so rechtfertig[2] ist der Mensch, wenn er glaubt, etwas Übereiltes, Allgemeines, Halbwahres gesagt zu haben; so hört er dir nicht auf zu limitieren[3], modifizieren[4] und ab- und zuzutun, bis zuletzt gar nichts mehr an der Sache ist. Und bei diesem Anlasse kam er sehr tief in Text, und ich hörte endlich gar nicht weiter auf ihn, verfiel in Grillen[5], und mit einer auffahrenden Gebärde druckt ich mir die Mündung der Pistolen übers rechte Aug an die Stirn. Pfui, sagte Albert, indem er mir die Pistole herabzog, was soll das! – Sie ist nicht geladen, sagt ich. – Und auch so! Was soll's?, versetzt er ungeduldig. Ich kann mir nicht vorstellen, wie ein Mensch so töricht sein kann, sich zu erschießen; der bloße Gedanke erregt mir Widerwillen.
Dass ihr Menschen, rief ich aus, um von einer Sache zu reden, gleich sprechen müsst: Das ist törig, das ist klug, das ist gut, das ist bös! Und was will das all heißen? Habt ihr deswegen die innern Verhältnisse einer Handlung erforscht? Wisst ihr mit Bestimmtheit die Ursachen zu entwickeln, warum sie geschah, warum sie geschehen musste? Hättet ihr das, ihr würdet nicht so eilfertig mit euren Urteilen sein.
Du wirst mir zugeben, sagte Albert, dass gewisse Handlungen lasterhaft bleiben, sie mögen aus einem Beweggrunde geschehen, aus welchem sie wollen.
Ich zuckte die Achseln und gab's ihm zu. Doch, mein Lieber, fuhr ich fort, finden sich auch hier einige Ausnahmen. Es ist wahr, der Diebstahl ist ein Laster, aber der Mensch, der, um sich und die Seinigen vom schmäh-

---

1 Friseur (der auch ärztlich behandelte)
2 rechtsbeflissen
3 abgrenzen, einschränken
4 abwandeln
5 auf wunderliche Einfälle

lichen Hungertode zu erretten, auf Raub ausgeht, verdient der Mitleiden oder Strafe? Wer hebt den ersten Stein[1] auf gegen den Ehemann, der im gerechten Zorne sein untreues Weib und ihren nichtswürdigen Verführer aufopfert? Gegen das Mädchen, das in einer wonnevollen Stunde sich in den unaufhaltsamen Freuden der Liebe verliert? Unsere Gesetze selbst, diese kaltblütigen Pedanten, lassen sich rühren und halten ihre Strafe zurück.

Das ist ganz was ander's, versetzte Albert, weil ein Mensch, den seine Leidenschaften hinreißen, alle Besinnungskraft verliert und als ein Trunkener, als ein Wahnsinniger angesehen wird. – Ach, ihr vernünftigen Leute!, rief ich lächelnd aus. Leidenschaft! Trunkenheit! Wahnsinn! Ihr steht so gelassen, so ohne Teilnehmung da, ihr sittlichen Menschen, scheltet den Trinker, verabscheuet den Unsinnigen, geht vorbei wie der Priester[2] und dankt Gott wie der Pharisäer[3], dass er euch nicht gemacht hat wie einen von diesen. Ich bin mehr als einmal trunken gewesen, und meine Leidenschaften waren nie weit vom Wahnsinne, und beides reut mich nicht, denn ich habe in meinem Maße begreifen lernen: wie man alle außerordentliche Menschen, die etwas Großes, etwas unmöglich Scheinendes würkten, von jeher für Trunkene und Wahnsinnige ausschreien müsste.

Aber auch im gemeinen[4] Leben ist's unerträglich, einem Kerl bei halbweg einer freien, edlen, unerwarteten Tat nachrufen zu hören: Der Mensch ist trunken, der ist närrisch. Schämt euch, ihr Nüchternen. Schämt euch, ihr Weisen. Das sind nun wieder von deinen Grillen, sagte Albert. Du überspannst alles und hast wenigstens hier gewiss Unrecht, dass du den Selbstmord, wovon wir jetzo reden, mit großen Handlungen vergleichst, da man

---

1 Anspielung auf Joh. 8,7: „Wer unter euch ohne Sünde ist, der werfe den ersten Stein auf sie.“

2 vgl. Luk. 10,31

3 vgl. Luk. 18,11

4 allgemeinen, gewöhnlichen

es doch für nichts anders als eine Schwäche halten kann, denn freilich ist es leichter zu sterben, als ein qualvolles Leben standhaft zu ertragen.
Ich war im Begriffe abzubrechen, denn kein Argument in der Welt bringt mich so aus der Fassung, als wenn einer mit einem unbedeutenden Gemeinspruche[1] angezogen kommt, da ich aus ganzem Herzen rede. Doch fasst ich mich, weil ich's schon öfter gehört und mich öfter darüber geärgert hatte, und versetzte ihm mit einiger Lebhaftigkeit: Du nennst das Schwäche! Ich bitte dich, lass dich vom Anscheine nicht verführen. Ein Volk, das unter dem unerträglichen Joche eines Tyrannen seufzt, darfst du das schwach heißen, wenn es endlich aufgärt und seine Ketten zerreißt. Ein Mensch, der über dem Schrecken, dass Feuer sein Haus ergriffen hat, alle Kräfte zusammengespannt fühlt und mit Leichtigkeit Lasten wegträgt, die er bei ruhigem Sinne kaum bewegen kann; einer, der in der Wut der Beleidigung es mit Sechsen aufnimmt und sie überwältigt, sind die schwach zu nennen? Und, mein Guter, wenn Anstrengung Stärke ist, warum soll die Überspannung das Gegenteil sein? Albert sah mich an und sagte: Nimm mir's nicht übel, die Beispiele, die du da gibst, scheinen hierher gar nicht zu gehören. Es mag sein, sagt ich, man hat mir schon öfter vorgeworfen, dass meine Kombinationsart manchmal an Radotage[2] grenze! Lasst uns denn sehen, ob wir auf eine andere Weise uns vorstellen können, wie es dem Menschen zumute sein mag, der sich entschließt, die sonst so angenehme Bürde des Lebens abzuwerfen, denn nur insofern wir mitempfinden, haben wir Ehre[3], von einer Sache zu reden.
Die menschliche Natur, fuhr ich fort, hat ihre Grenzen, sie kann Freude, Leid, Schmerzen bis auf einen gewissen Grad ertragen und geht zugrunde, sobald der überstiegen ist.

---

1 Binsenweisheit, Banalität
2 frz., Geschwätz, Faselei
3 ist uns gestattet

Hier ist also nicht die Frage, ob einer schwach oder stark ist, sondern ob er das Maß seines Leidens ausdauren[1] kann; es mag nun moralisch oder physikalisch sein, und ich finde es ebenso wunderbar[2] zu sagen, der Mensch ist feig, der sich das Leben nimmt, als es ungehörig[3] wäre, den einen Feigen zu nennen, der an einem bösartigen Fieber stirbt.
Paradox[4]! Sehr paradox!, rief Albert aus. – Nicht so sehr, als du denkst, versetzt ich. Du gibst mir zu, wir nennen das eine Krankheit zum Tode[5], wodurch die Natur so angegriffen wird, dass teils ihre Kräfte verzehrt, teils so außer Würkung gesetzt werden, dass sie sich nicht wieder aufzuhelfen, durch keine glückliche Revolution[6] den gewöhnlichen Umlauf des Lebens wiederherzustellen fähig ist.
Nun, mein Lieber, lass uns das auf den Geist anwenden. Sieh den Menschen an in seiner Eingeschränktheit, wie Eindrücke auf ihn würken, Ideen sich bei ihm festsetzen, bis endlich eine wachsende Leidenschaft ihn aller ruhigen Sinneskraft beraubt und ihn zugrunde richtet.
Vergebens, dass der gelassne, vernünftige Mensch den Zustand des Unglücklichen übersieht, vergebens, dass er ihm zuredet, eben als wie ein Gesunder, der am Bette des Kranken steht, ihm von seinen Kräften nicht das Geringste einflößen kann.
Alberten war das zu allgemein gesprochen, ich erinnerte ihn an ein Mädchen, das man vor weniger Zeit im Wasser tot gefunden, und wiederholt ihm ihre Geschichte. Ein gutes junges Geschöpf, das in dem engen Kreise häuslicher Beschäftigungen, wöchentlicher bestimmter Arbeit so herangewachsen war, das weiter keine Aussicht von Vergnügen kannte als etwa sonntags in einem nach und nach zusammengeschafften Putze[7] mit ihresgleichen um

1 ertragen (vgl. engl. *endure*)
2 hier: sonderbar
3 hier: verfehlt
4 widersinnig
5 vgl. Joh. 11,4
6 hier: Umkehr
7 schmucke Kleidung

die Stadt spazieren zu gehen, vielleicht alle hohen Feste einmal zu tanzen, und übrigens mit aller Lebhaftigkeit des herzlichsten Anteils manche Stunde über den Anlass eines Gezänkes, einer übeln Nachrede mit einer Nachbarin zu verplaudern; deren feurige Natur fühlt nun endlich innigere Bedürfnisse, die durch die Schmeicheleien der Männer vermehrt werden, all ihre vorige Freuden werden ihr nach und nach unschmackhaft, bis sie endlich einen Menschen antrifft, zu dem ein unbekanntes Gefühl sie unwiderstehlich hinreißt, auf den sie nun all ihre Hoffnungen wirft, die Welt rings um sich vergisst, nichts hört, nichts sieht, nichts fühlt als ihn, den Einzigen, sich nur sehnt nach ihm, dem Einzigen. Durch die leeren Vergnügen einer unbeständigen Eitelkeit nicht verdorben, zieht ihr Verlangen grad nach dem Zwecke: Sie will die Seinige werden, sie will in ewiger Verbindung all das Glück antreffen, das ihr mangelt, die Vereinigung aller Freuden genießen, nach denen sie sich sehnte. Wiederholtes Versprechen, das ihr die Gewissheit aller Hoffnungen versiegelt, kühne Liebkosungen, die ihre Begierden vermehren, umfangen ganz ihre Seele, sie schwebt in einem dumpfen Bewusstsein, in einem Vorgefühl aller Freuden, sie ist bis auf den höchsten Grad gespannt, wo sie endlich ihre Arme ausstreckt, all ihre Wünsche zu umfassen – und ihr Geliebter verlässt sie. – Erstarrt, ohne Sinne steht sie vor einem Abgrunde und alles ist Finsternis um sie her, keine Aussicht, kein Trost, keine Ahndung, denn der hat sie verlassen, in dem sie allein ihr Dasein fühlte. Sie sieht nicht die weite Welt, die vor ihr liegt, nicht die vielen, die ihr den Verlust ersetzen könnten, sie fühlt sich allein, verlassen von aller Welt, – und blind, in die Enge gepresst von der entsetzlichen Not ihres Herzens stürzt sie sich hinunter, um in einem rings umfangenden Tode all ihre Qualen zu ersticken. – Sieh, Albert, das ist die Geschichte so manches Menschen, und sag, ist das nicht der Fall der Krankheit? Die Natur findet keinen Ausweg aus dem Labyrinthe der verworrenen und widersprechenden Kräfte, und der Mensch muss sterben.
Wehe dem, der zusehen und sagen könnte: Die Törin! Hätte sie gewartet, hätte sie die Zeit würken lassen, es

würde sich die Verzweiflung schon gelegt, es würde sich ein anderer sie zu trösten schon vorgefunden haben. Das ist eben, als wenn einer sagte: Der Tor! Stirbt am Fieber! Hätte er gewartet, bis sich seine Kräfte erholt, 5 seine Säfte verbessert, der Tumult seines Blutes gelegt hätten, alles wäre gutgegangen, und er lebte bis auf den heutigen Tag!

Albert, dem die Vergleichung noch nicht anschaulich war, wandte noch einiges ein und unter andern: Ich ha- 10 be nur von einem einfältigen Mädchen gesprochen, wie denn aber ein Mensch von Verstande, der nicht so eingeschränkt sei, der mehr Verhältnisse übersähe, zu entschuldigen sein möchte, könne er nicht begreifen. Mein Freund, rief ich aus, der Mensch ist Mensch, und das 15 bisschen Verstand, das einer haben mag, kommt wenig oder nicht in Anschlag, wenn Leidenschaft wütet und die Grenzen der Menschheit einen drängen. Vielmehr – ein andermal davon, sagt ich, und griff nach meinem Hute. O mir war das Herz so voll – Und wir gingen aus- 20 einander ohne einander verstanden zu haben. Wie denn auf dieser Welt keiner leicht den andern versteht.

*

am 15. Aug.

Es ist doch gewiss, dass in der Welt den Menschen nichts notwendig macht als die Liebe. Ich fühl's an Lotten, dass 25 sie mich ungern verlöre, und die Kinder haben keine andre Idee, als dass ich immer morgen wiederkommen würde. Heut war ich hinausgegangen, Lottens Klavier zu stimmen, ich konnte aber nicht dazu kommen, denn die Kleinen verfolgten mich um ein Märchen, und Lotte 30 sagte denn selbst, ich solle ihnen den Willen tun. Ich schnitt ihnen das Abendbrot, das sie nun fast so gerne von mir als von Lotten annehmen, und erzählte ihnen das Hauptstückchen von der Prinzessin, die von Händen bedient wird[1]. Ich lerne viel dabei, das versichr' ich dich, 35 und ich bin erstaunt, was es auf sie für Eindrücke macht.

---

[1] eine Episode aus dem Märchen „La chatte blanche" aus den „Contes de Fées" von Marie Cathérine Jumelle de Berneville (etwa 1650–1705)

Weil ich manchmal einen Inzidenzpunkt[1] erfinden muss, den ich beim zweiten Mal vergesse, sagen sie gleich, das vorige Mal wär's anders gewest, sodass ich mich jetzt übe, sie unveränderlich in einem singenden Silbenfall an einem Schnürchen weg zu rezitieren. Ich habe daraus ge- 5 lernt, wie ein Autor durch eine zweite, veränderte Auflage seiner Geschichte, und wenn sie noch so poetisch besser geworden wäre, notwendig seinem Buche schaden muss. Der erste Eindruck findet uns willig, und der Mensch ist so gemacht, dass man ihm das Abenteuerlichste überre- 10 den kann, das haftet aber auch gleich so fest, und wehe dem, der es wieder auskratzen und austilgen will.

*

am 18. Aug.

Musste denn das so sein? Dass das, was des Menschen Glückseligkeit macht, wieder die Quelle seines Elends 15 würde.

Das volle, warme Gefühl meines Herzens an der lebendigen Natur, das mich mit so viel Wonne überströmte, das ringsumher die Welt mir zu einem Paradiese schuf, wird mir jetzt zu einem unerträglichen Peiniger, zu einem 20 quälenden Geiste, der mich auf allen Wegen verfolgt. Wenn ich sonst vom Fels über den Fluss bis zu jenen Hügeln das fruchtbare Tal überschaute und alles um mich her keimen und quellen sah, wenn ich jene Berge, vom Fuße bis auf zum Gipfel, mit hohen, dichten Bäumen be- 25 kleidet, all jene Täler in ihren mannigfaltigen Krümmungen von den lieblichsten Wäldern beschattet sah, und der sanfte Fluss zwischen den lispelnden Rohren dahingleitete und die lieben Wolken abspiegelte, die der sanfte Abendwind am Himmel herüberwiegte, wenn ich 30 denn die Vögel um mich den Wald beleben hörte und die Millionen Mückenschwärme im letzten roten Strahle der Sonne mutig tanzten und ihr letzter zuckender Blick den summenden Käfer aus seinem Grase befreite und das Gewebere um mich her mich auf den Boden auf- 35

---

1 Nebenpunkt, Zwischenfall im Geschehnisablauf

merksam machte und das Moos, das meinem harten Felsen seine Nahrung abzwingt, und das Geniste[1], das den dürren Sandhügel hinunterwächst, mir alles das innere glühende, heilige Leben der Natur eröffnete, wie umfasst ich das all mit warmen Herzen, verlor mich in der unendlichen Fülle, und die herrlichen Gestalten der unendlichen Welt bewegten sich alllebend in meiner Seele. Ungeheure Berge umgaben mich, Abgründe lagen vor mir, und Wetterbäche[2] stürzten herunter, die Flüsse strömten unter mir, und Wald und Gebürg erklang. Und ich sah sie würken und schaffen ineinander in den Tiefen der Erde, all die Kräfte unergründlich. Und nun über der Erde und unter dem Himmel wimmeln die Geschlechter der Geschöpfe all, und alles, alles bevölkert mit tausendfachen Gestalten, und die Menschen dann sich in Häuslein zusammen sichern und sich annisten, und herrschen in ihrem Sinne über die weite Welt! Armer Tor, der du alles so gering achtest, weil du so klein bist. Vom unzugänglichen Gebürge über die Einöde, die kein Fuß betrat, bis ans Ende des unbekannten Ozeans weht der Geist des Ewigschaffenden und freut sich jedes Staubs, der ihn vernimmt und lebt. Ach damals, wie oft hab ich mich mit Fittichen eines Kranichs, der über mich hinflog, zu dem Ufer des ungemessenen Meeres gesehnt, aus dem schäumenden Becher des Unendlichen jene schwellende Lebenswonne zu trinken und nur einen Augenblick in der eingeschränkten Kraft meines Busens einen Tropfen der Seligkeit des Wesens zu fühlen, das alles in sich und durch sich hervorbringt.
Bruder, nur die Erinnerung jener Stunden macht mir wohl, selbst diese Anstrengung, jene unsäglichen Gefühle zurückzurufen, wieder auszusprechen, hebt meine Seele über sich selbst und lässt mir dann das Bange des Zustands doppelt empfinden, der mich jetzt umgibt.

Es hat sich vor meiner Seele wie ein Vorhang weggezogen, und der Schauplatz des unendlichen Lebens ver-

1 Gestrüpp, Gebüsch (das den Vögeln Nistplätze bietet)
2 vom Gewitterregen entstandene oder angeschwollene Bäche

wandelt sich vor mir in den Abgrund des ewig offnen Grabs. Kannst du sagen: Das ist!, da alles vorübergeht, da alles mit der Wetterschnelle vorüberrollt, so selten die ganze Kraft seines Daseins ausdauert, ach in den Strom fortgerissen, untergetaucht und an Felsen zerschmettert wird. Da ist kein Augenblick, der nicht dich verzehrte und die Deinigen um dich her, kein Augenblick, da du nicht ein Zerstörer bist, sein musst. Der harmloseste Spaziergang kostet tausend, tausend armen Würmchen das Leben, es zerrüttet ein Fußtritt die mühseligen Gebäude der Ameisen und stampft eine kleine Welt in ein schmähliches Grab. Ha! Nicht die große seltene Not der Welt, diese Fluten, die eure Dörfer wegspülen, diese Erdbeben, die eure Städte verschlingen, rühren mich. Mir untergräbt das Herz die verzehrende Kraft, die im All der Natur verborgen liegt, die nichts gebildet hat, das nicht seinen Nachbar, nicht sich selbst zerstörte. Und so taumele ich beängstet! Himmel und Erde und all die webenden Kräfte um mich her! Ich sehe nichts als ein ewig verschlingendes, ewig wiederkäuendes Ungeheuer.

*

am 21. Aug.

Umsonst strecke ich meine Arme nach ihr aus, morgens, wenn ich von schweren Träumen aufdämmere, vergebens such ich sie nachts in meinem Bette, wenn mich ein glücklicher, unschuldiger Traum getäuscht hat, als säß ich neben ihr auf der Wiese und hielte ihre Hand und deckte sie mit tausend Küssen. Ach, wenn ich denn noch halb im Taumel des Schlafs nach ihr tappe und drüber mich ermuntere – Ein Strom von Tränen bricht aus meinem gepressten Herzen und ich weine trostlos einer finstern Zukunft entgegen.

*

am 22. Aug.

Es ist ein Unglück, Wilhelm! All meine tätigen Kräfte sind zu einer unruhigen Lässigkeit verstimmt, ich kann nicht müßig sein und wieder kann ich nichts tun. Ich hab keine Vorstellungskraft, kein Gefühl an der Natur

und die Bücher speien mich alle an. Wenn wir uns selbst fehlen, fehlt uns doch alles. Ich schwöre dir, manchmal wünschte ich ein Taglöhner zu sein, um nur des Morgens beim Erwachen eine Aussicht auf den künftigen
5 Tag, einen Drang, eine Hoffnung zu haben. Oft beneid ich Alberten, den ich über die Ohren in Akten begraben sehe, und bilde mir ein: Mir wär's wohl, wenn ich an seiner Stelle wäre! Schon etliche Mal ist mir's so aufgefahren[1], ich wollte dir schreiben und dem Minister und
10 um die Stelle bei der Gesandtschaft anhalten, die, wie du versicherst, mir nicht versagt werden würde. Ich glaube es selbst, der Minister liebt mich seit lange, hatte lange mir angelegen[2], ich sollte mich employieren[3], und eine Stunde ist mir's auch wohl drum zu tun; hernach,
15 wenn ich so wieder dran denke und mir die Fabel vom Pferde[4] einfällt, das seiner Freiheit ungeduldig, sich Sattel und Zeug auflegen lässt und zuschanden geritten wird. Ich weiß nicht, was ich soll – Und mein Lieber! Ist es nicht vielleicht das Sehnen in mir nach Veränderung
20 des Zustands, eine innre unbehagliche Ungeduld, die mich überallhin verfolgen wird?

*

am 28. Aug.

Es ist wahr, wenn meine Krankheit zu heilen wäre, so würden diese Menschen es tun. Heut ist mein Geburts-
25 tag, und in aller Frühe empfang ich ein Päckchen von Alberten. Mir fällt beim Eröffnen sogleich eine der blassroten Schleifen in die Augen, die Lotte vorhatte, als ich sie kennenlernte und um die ich sie seither etliche Mal gebeten hatte. Es waren zwei Büchelchen in Duodez[5]

---

1 eingefallen
2 mich mit Bitten bedrängt
3 als Beamter betätigen
4 bei Horaz und Lafontaine: Das Pferd bittet im Kampf mit einem Hirschen den Menschen um Beistand und wird nach entsprechender Hilfe vom Menschen ausgenutzt.
5 Taschenformat; ein Buch, dessen Bögen in zwölf Blätter gefaltet wurden (lat. in duodecimo)

dabei, der kleine wetsteinische Homer[1], ein Büchelchen, nach dem ich so oft verlangt, um mich auf dem Spaziergange mit dem ernestischen[2] nicht zu schleppen. Sieh! So kommen sie meinen Wünschen zuvor, so suchen sie all die kleinen Gefälligkeiten der Freundschaft auf, die 5 tausendmal werter sind als jene blendende Geschenke, wodurch uns die Eitelkeit des Gebers erniedrigt. Ich küsse diese Schleife tausendmal, und mit jedem Atemzuge schlürfe ich die Erinnerung jener Seligkeiten ein, mit denen mich jene wenige glückliche, unwiederbring- 10 liche Tage überfüllten. Wilhelm, es ist so, und ich murre nicht, die Blüten des Lebens sind nur Erscheinungen[3]. Wie viele gehn vorüber, ohne eine Spur hinter sich zu lassen, wie wenige setzen Frucht an, und wie wenige dieser Früchte werden reif. Und doch sind deren noch 15 genug da, und doch – O mein Bruder! können wir gereifte Früchte vernachlässigen, verachten, ungenossen verwelken und verfaulen lassen!

Lebe wohl! Es ist ein herrlicher Sommer, ich sitze oft auf den Obstbäumen in Lottens Baumstück mit dem Obst- 20 brecher, der langen Stange, und hole die Birn aus dem Gipfel. Sie steht unten und nimmt sie ab, wenn ich sie ihr hinunterlasse.

*

am 30. Aug.

Unglücklicher! Bist du nicht ein Tor? Betrügst du dich 25 nicht selbst? Was soll all diese tobende endlose Leidenschaft? Ich habe kein Gebet mehr als an sie, meiner Einbildungskraft erscheint keine andere Gestalt als die ihrige, und alles in der Welt um mich her sehe ich nur im Verhältnisse mit ihr. Und das macht mir denn so manche 30 glückliche Stunde – Bis ich mich wieder von ihr losreißen muss, ach Wilhelm, wozu mich mein Herz oft drängt! – Wenn ich so bei ihr gesessen bin, zwei, drei Stunden, und

1 die Amsterdamer Homer-Ausgabe von J. H. Wetstein (1707)
2 die Leipziger Ausgabe von J.A. Ernesti (1759 – 1764), griech. Text mit lat. Übersetzung im Oktav (also nur achtfach gebrochenem Bogen)
3 Trugbilder

mich an der Gestalt, an dem Betragen, an dem himmlischen Ausdruck ihrer Worte geweidet habe, und nun so nach und nach alle meine Sinnen aufgespannt werden, mir's düster vor den Augen wird, ich kaum noch was höre und mich's an die Gurgel fasst wie ein Meuchelmörder, dann mein Herz in wilden Schlägen den bedrängten Sinnen Luft zu machen sucht und ihre Verwirrung vermehrt. Wilhelm, ich weiß oft nicht, ob ich auf der Welt bin! Und wenn nicht manchmal die Wehmut das Übergewicht nimmt und Lotte mir den elenden Trost erlaubt, auf ihrer Hand meine Beklemmung auszuweinen, so muss ich fort! Muss hinaus! Und schweife dann weit im Felde umher. Einen gähen[1] Berg zu klettern ist dann meine Freude, durch einen unwegsamen Wald einen Pfad durchzuarbeiten, durch die Hecken, die mich verletzen, durch die Dornen, die mich zerreißen! Da wird mir's etwas besser! Etwas! Und wenn ich für Müdigkeit und Durst manchmal unterwegs liegen bleibe, manchmal in der tiefen Nacht, wenn der hohe Vollmond über mir steht, im einsamen Walde auf einem krumm gewachsnen Baum mich setze, um meinen verwundeten Sohlen nur einige Linderung zu verschaffen, und dann in einer ermattenden Ruhe in dem Dämmerscheine hinschlummre! O Wilhelm! Die einsame Wohnung einer Zelle, das härne Gewand[2] und der Stachelgürtel[3] wären Labsale, nach denen meine Seele schmachtet. Adieu. Ich seh all dieses Elends kein Ende als das Grab.

*

am 3. Sept.

Ich muss fort! Ich danke dir, Wilhelm, dass du meinen wankenden Entschluss bestimmt hast. Schon vierzehn Tage geh ich mit dem Gedanken um, sie zu verlassen. Ich muss. Sie ist wieder in der Stadt bei einer Freundin. Und Albert – und – ich muss fort.

*

1 steilen
2 das aus Haaren gefertigte, grob gewebte Gewand (der Einsiedler und Büßer)
3 Gerät zur Kasteiung

am 10. Sept.

Das war eine Nacht! Wilhelm, nun übersteh ich alles. Ich werde sie nicht wiedersehn. O dass ich nicht an deinen Hals fliegen, dir mit tausend Tränen und Entzückungen ausdrücken kann, mein Bester, all die Empfindungen, die mein Herz bestürmen. Hier sitz ich und schnappe nach Luft, suche mich zu beruhigen und erwarte den Morgen, und mit Sonnenaufgang sind die Pferde bestellt.
Ach, sie schläft ruhig und denkt nicht, dass sie mich nie wiedersehen wird. Ich habe mich losgerissen, bin stark genug gewesen, in einem Gespräche von zwei Stunden mein Vorhaben nicht zu verraten. Und Gott, welch ein Gespräch!
Albert hatte mir versprochen, gleich nach dem Nachtessen mit Lotten im Garten zu sein. Ich stand auf der Terrasse unter den hohen Kastanienbäumen und sah der Sonne nach, die mir nun zum letzten Mal über dem lieblichen Tale, über dem sanften Flusse unterging. So oft hatte ich hier gestanden mit ihr und eben dem herrlichen Schauspiele zugesehen und nun – Ich ging in der Allee auf und ab, die mir so lieb war, ein geheimer sympathetischer[1] Zug hatte mich hier so oft gehalten, eh ich noch Lotten kannte, und wie freuten wir uns, als im Anfange unserer Bekanntschaft wir die wechselseitige Neigung zu dem Plätzchen entdeckten, das wahrhaftig eins der romantischsten[2] ist, die ich von der Kunst habe hervorgebracht gesehen.

Erst hast du zwischen den Kastanienbäumen die weite Aussicht – – Ach, ich erinnere mich, ich habe dir, denk ich, schon viel geschrieben davon, wie hohe Buchenwände einen endlich einschließen und durch ein daran stoßendes Bosquet[3] die Allee immer düstrer wird, bis zuletzt alles sich in ein geschlossenes Plätzchen endigt, das alle Schauer der Einsamkeit umschweben. Ich fühl es noch, wie heimlich mir's ward, als ich zum ersten

1 auf Mitgefühl beruhender (Modewort des empfindsamen 18. Jh.s)
2 hier: romanhaftesten (Adj. zu Roman)
3 frz., Gruppe beschnittener Büsche und Bäume im Park

Mal an einem hohen Mittage hineintrat, ich ahndete ganz leise, was das noch für ein Schauplatz werden sollte von Seligkeit und Schmerz.

Ich hatte mich etwa eine halbe Stunde in den schmachtenden süßen Gedanken des Abscheidens, des Wiedersehns geweidet, als ich sie die Terrasse heraufsteigen hörte, ich lief ihnen entgegen, mit einem Schauer fasst ich ihre Hand und küsste sie. Wir waren eben heraufgetreten, als der Mond hinter dem büschigen Hügel aufging, wir redeten mancherlei und kamen unvermerkt dem düstern Kabinette näher. Lotte trat hinein und setzte sich, Albert neben sie, ich auch, doch meine Unruhe ließ mich nicht lange sitzen, ich stand auf, trat vor sie, ging auf und ab, setzte mich wieder, es war ein ängstlicher Zustand. Sie machte uns aufmerksam auf die schöne Würkung des Mondenlichts, das am Ende der Buchenwände die ganze Terrasse vor uns erleuchtete, ein herrlicher Anblick, der umso viel frappanter[1] war, weil uns rings eine tiefe Dämmerung einschloss. Wir waren still und sie fing nach einer Weile an: Niemals geh ich im Mondenlichte spazieren, niemals, dass mir nicht der Gedanke an meine Verstorbenen begegnete, dass nicht das Gefühl von Tod, von Zukunft über mich käme. Wir werden sein, fuhr sie mit der Stimme des herrlichsten Gefühls fort, aber Werther, sollen wir uns wiederfinden? Und wiedererkennen? Was ahnden Sie, was sagen Sie?

Lotte, sagt ich, indem ich ihr die Hand reichte und mir die Augen voll Tränen wurden, wir werden uns wiedersehn! Hier und dort wiedersehn! – Ich konnte nicht weiter reden – Wilhelm, musste sie mich das fragen?, da ich diesen ängstlichen Abschied im Herzen hatte.

Und ob die lieben Abgeschiednen von uns wissen, fuhr sie fort, ob sie fühlen, wann's uns wohlgeht, dass wir mit warmer Liebe uns ihrer erinnern? O die Gestalt meiner Mutter schwebt immer um mich, wenn ich so am

---

1 überraschender (von frz. *frapper*)

stillen Abend unter ihren Kindern, unter meinen Kindern sitze und sie um mich versammlet sind, wie sie um sie versammlet waren. Wenn ich so mit einer sehnenden Träne gen Himmel sehe und wünsche: dass sie hereinschauen könnte einen Augenblick, wie ich mein Wort halte, das ich ihr in der Stunde des Todes gab: die Mutter ihrer Kinder zu sein. Hundertmal ruf ich aus: Verzeih mir's, Teuerste, wenn ich ihnen nicht bin, was du ihnen warst. Ach! tu ich doch alles, was ich kann, sind sie doch gekleidet, genährt, ach und, was mehr ist als das alles, gepflegt und geliebet. Könntest du unsere Eintracht sehn, liebe Heilige! Du würdest mit dem heißesten Danke den Gott verherrlichen, den du mit den letzten bittersten Tränen um die Wohlfahrt deiner Kinder batst. Sie sagte das! O Wilhelm! Wer kann wiederholen, was sie sagte, wie kann der kalte tote Buchstabe diese himmlische Blüte des Geistes darstellen. Albert fiel ihr sanft in die Rede: Es greift Sie zu stark an, liebe Lotte, ich weiß, Ihre Seele hängt sehr nach diesen Ideen, aber ich bitte Sie – O Albert, sagte sie, ich weiß, du vergisst nicht die Abende, da wir zusammensaßen an dem kleinen runden Tischchen, wenn der Papa verreist war und wir die Kleinen schlafen geschickt hatten. Du hattest oft ein gutes Buch und kamst so selten dazu, etwas zu lesen. War der Umgang dieser herrlichen Seele nicht mehr als alles! Die schöne, sanfte, muntere und immer tätige Frau! Gott kennt meine Tränen, mit denen ich mich oft in meinem Bette vor ihr hinwarf: Er möchte mich ihr gleichmachen.

Lotte!, rief ich aus, indem ich mich vor sie hinwarf, ihre Hände nahm und mit tausend Tränen netzte. Lotte, der Segen Gottes ruht über dir und der Geist deiner Mutter! – Wenn Sie sie gekannt hätten!, sagte sie, indem sie mir die Hand drückte, – sie war wert, von Ihnen gekannt zu sein. – Ich glaubte zu vergehen, nie war ein größeres, stolzeres Wort über mich ausgesprochen worden, und sie fuhr fort: Und diese Frau musste in der Blüte ihrer Jahre dahin, als ihr jüngster Sohn nicht sechs Monate alt war. Ihre Krankheit dauerte nicht lange, sie war ruhig, resigniert, nur ihre Kinder taten ihr weh, besonders das kleine. Wie es gegen das Ende ging und sie zu mir sagte: Bring mir sie herauf, und wie ich sie hereinführte, die Kleinen, die nicht wussten, und die Ältesten, die ohne Sinne waren, wie sie ums Bett standen, und wie sie die 5 Hände aufhub und über sie betete und sie küsste nacheinander und sie wegschickte und zu mir sagte: Sei ihre Mutter! Ich gab ihr die Hand drauf! Du versprichst viel, meine Tochter, sagte sie, das Herz einer Mutter und das Aug einer Mutter! Ich hab oft an deinen dankbaren Trä- 10 nen gesehen, dass du fühlst, was das sei. Hab es für deine Geschwister und für deinen Vater, die Treue, den Gehorsam einer Frau. Du wirst ihn trösten. Sie fragte nach ihm, er war ausgegangen, um uns den unerträglichen Kummer zu verbergen, den er fühlte, der Mann war 15 ganz zerrissen.

Albert, du warst im Zimmer! Sie hörte jemand gehn und fragte und forderte dich zu ihr. Und wie sie dich ansah und mich, mit dem getrösteten ruhigen Blicke, dass wir glücklich sein, zusammen glücklich sein würden. Albert 20 fiel ihr um den Hals und küsste sie und rief: Wir sind's! Wir werden's sein. Der ruhige Albert war ganz aus seiner Fassung, und ich wusste nichts von mir selber.

Werther, fing sie an, und diese Frau sollte dahin sein! Gott, wenn ich manchmal so denke, wie man das Liebs- 25 te seines Lebens so wegtragen lässt und niemand als die Kinder das so scharf fühlt, die sich noch lange beklagten: Die schwarzen Männer hätten die Mama weggetragen.
Sie stund auf, und ich ward erweckt und erschüttert, 30 blieb sitzen und hielt ihre Hand. Wir wollen fort, sagte sie, es wird Zeit. Sie wollte ihre Hand zurückziehen, und ich hielt sie fester! Wir werden uns wiedersehn, rief ich, wir werden uns finden, unter allen Gestalten werden wir uns erkennen. Ich gehe, fuhr ich fort, ich gehe 35 willig, und doch, wenn ich sagen sollte auf ewig, ich würde es nicht aushalten. Leb wohl, Lotte! Leb wohl, Albert! Wir sehen uns wieder.

– Morgen, denk ich, versetzte sie scherzend, ich fühlte das Morgen! Ach, sie wusste nicht, als sie ihre Hand aus der meinigen zog – sie gingen die Allee hinaus, ich stand, sah ihnen nach im Mondenscheine und warf mich an die Erde und weinte mich aus und sprang auf, 5
lief auf die Terrasse hervor und sah noch dort drunten im Schatten der hohen Lindenbäume ihr weißes Kleid nach der Gartentüre schimmern, ich streckte meine Arme hinaus, und es verschwand.

Die Leiden
des
jungen Werthers.

Zweyter Theil.

Titelblatt der Erstausgabe (2. Teil)

Zweiter Teil

am 20. Okt. 1771.

Gestern sind wir hier angelangt. Der Gesandte ist unpass[1] und wird sich also einige Tage einhalten[2], wenn er nur nicht so unhold[3] wäre, wär alles gut. Ich merke, ich merke, das Schicksal hat mir harte Prüfungen zugedacht. Doch gutes Mut's! Ein leichter Sinn trägt alles! Ein leichter Sinn! Das macht mich zu lachen, wie das Wort in meine Feder kommt. O ein bisschen leichteres Blut[4] würde mich zum glücklichsten Menschen unter der Sonne machen. Was! Da wo andre mit ihrem bisschen Kraft und Talent vor mir in behaglicher Selbstgefälligkeit herumschwadronieren[5], verzweifl' ich an meiner Kraft, an meinen Gaben. Guter Gott! Der du mir das alles schenktest, warum hieltest du nicht die Hälfte zurück und gabst mir Selbstvertrauen und Genügsamkeit!

Geduld! Geduld! Es wird besser werden. Denn ich sage dir, Lieber, du hast Recht. Seit ich unter dem Volke so alle Tage herumgetrieben werde und sehe, was sie tun und wie sie's treiben, steh ich viel besser mit mir selbst. Gewiss, weil wir doch einmal so gemacht sind, dass wir alles mit uns und uns mit allem vergleichen, so liegt Glück oder Elend in den Gegenständen, womit wir uns zusammenhalten[6], und da ist nichts gefährlicher als die Einsamkeit. Unsere Einbildungskraft, durch ihre Natur gedrungen sich zu erheben, durch die fantastischen Bilder der Dichtkunst genährt, bildet sich eine Reihe Wesen hinauf, wo wir das unterste sind und alles außer uns herrlicher erscheint, jeder andre vollkommner ist. Und das geht ganz natürlich zu: Wir fühlen so oft, dass uns manches mangelt, und eben was uns fehlt, scheint uns oft ein anderer zu besitzen, dem wir denn auch alles dazugeben, was wir haben, und noch eine

---

1 unpässlich, leicht erkrankt
2 im Zimmer oder Haus aufhalten
3 unfreundlich, mürrisch
4 Leichtigkeit, Unbeschwertheit
5 aufschneiden, angeben
6 zum Vergleich nebeneinanderstellen

gewisse idealische[1] Behaglichkeit dazu. Und so ist der Glückliche vollkommen fertig, das Geschöpf unserer selbst.
Dagegen wenn wir mit all unserer Schwachheit und Mühseligkeit nur gerade fortarbeiten, so finden wir gar oft, dass wir mit all unserem Schlendern und Lavieren[2] es weiter bringen als andre mit ihren Segeln und Rudern – und – das ist doch ein wahres Gefühl seiner selbst, wenn man andern gleich oder gar vorlauft.

*

am 10. Nov.

Ich fange an, mich insofern ganz leidlich hier zu befinden. Das Beste ist, dass es zu tun genug gibt, und dann die vielerlei Menschen, die allerlei neuen Gestalten machen mir ein buntes Schauspiel vor meiner Seele. Ich habe den Grafen C.. kennenlernen, einen Mann, den ich jeden Tag mehr verehren muss. Einen weiten, großen Kopf, und der deswegen nicht kalt ist, weil er viel übersieht; aus dessen Umgange so viel Empfindung für Freundschaft und Liebe hervorleuchtet. Er nahm teil[3] an mir, als ich einen Geschäftsauftrag an ihn ausrichtete und er bei den ersten Worten merkte, dass wir uns verstunden, dass er mit mir reden konnte wie nicht mit jedem. Auch kann ich sein offnes Betragen gegen mich nicht genug rühmen. So eine wahre warme Freude ist nicht in der Welt, als eine große Seele zu sehen, die sich gegen einen öffnet.

*

am 24. Dez.

Der Gesandte macht mir viel Verdruss, ich hab es vorausgesehn. Es ist der pünktlichste[4] Narre, den's nur geben kann. Schritt vor Schritt und umständlich wie eine

---

1 nur in der Vorstellung vorhandene
2 hier: Umwegemachen (aus niederl. *laveeren*, „beim Segeln gegen den Wind kreuzen")
3 zeigte wohlwollendes Interesse
4 hier: pedantischste, übergenaueste

Base[1]. Ein Mensch, der nie selbst mit sich zufrieden ist und dem's daher niemand zu Danke machen kann. Ich arbeite gern leicht weg, und wie's steht, so steht's, da ist er imstande, mir einen Aufsatz zurückzugeben und zu sagen: Er ist gut, aber sehen Sie ihn durch, man findt im- 5 mer ein besser Wort, eine reinere Partikel[2]. Da möcht ich des Teufels werden. Kein Und, kein Bindwörtchen sonst darf außenbleiben, und von allen Inversionen[3], die mir manchmal entfahren, ist er ein Todfeind. Wenn man seinen Period[4] nicht nach der hergebrachten Melodie he- 10 raborgelt, so versteht er gar nichts drinne. Das ist ein Leiden, mit so einem Menschen zu tun zu haben.
Das Vertrauen des Grafen von C.. ist noch das Einzige, was mich schadlos hält. Er sagte mir letzthin ganz aufrichtig: wie unzufrieden er über die Langsamkeit und Bedenk- 15 lichkeit meines Gesandten sei. Die Leute erschweren sich's und andern. Doch, sagt er, man muss sich darein resignieren[5] wie ein Reisender, der über einen Berg muss. Freilich! Wär der Berg nicht da, wäre der Weg viel bequemer und kürzer, er ist nun aber da! Und es soll drüber! – 20
Mein Alter spürt auch wohl den Vorzug, den mir der Graf vor ihm gibt, und das ärgert ihn und er ergreift jede Gelegenheit, Übels gegen mich vom Grafen zu reden, ich halte, wie natürlich, Widerpart, und dadurch wird die Sache nur schlimmer. Gestern gar bracht er mich 25 auf, denn ich war mitgemeint: Zu so Weltgeschäften wäre der Graf ganz gut, er hätte viel Leichtigkeit zu arbeiten und führte eine gute Feder, doch an gründlicher Gelehrsamkeit mangelt es ihm, wie all den Belletristen[6]. Darüber hätt ich ihn gern ausgeprügelt, denn weiter ist 30 mit den Kerls nicht zu räsonieren[7], da das aber nun nicht anging, so focht ich mit ziemlicher Heftigkeit und

1 hier: alte Tante
2 Wortart
3 Veränderungen der gebräuchlichen Wortstellung
4 Satzgefüge
5 hier: ergeben, fügen
6 Verfasser leichter Unterhaltungsliteratur
7 sprechen, diskutieren

sagt ihm, der Graf sei ein Mann, vor dem man Achtung haben müsste, wegen seines Charakters sowohl als seiner Kenntnisse; ich habe, sagt ich, niemand gekannt, dem es so geglückt wäre, seinen Geist zu erweitern, ihn über unzählige Gegenstände zu verbreiten, und doch die Tätigkeit fürs gemeine Leben zu behalten. Das waren dem Gehirn spanische Dörfer[1], und ich empfahl mich, um nicht über ein weiteres Déraisonnement[2] noch mehr Galle zu schlucken[3].

Und daran seid ihr all schuld, die ihr mich in das Joch geschwatzt und mir so viel von Aktivität vorgesungen habt. Aktivität! Wenn nicht der mehr tut, der Kartoffeln steckt und in die Stadt reitet, sein Korn zu verkaufen, als ich, so will ich zehn Jahre noch mich auf der Galeere abarbeiten, auf der ich nun angeschmiedet bin.

Und das glänzende Elend, die Langeweile unter dem garstigen Volke, das sich hier nebeneinander sieht. Die Rangsucht unter ihnen, wie sie nur wachen und aufpassen, einander ein Schrittchen abzugewinnen, die elendesten erbärmlichsten Leidenschaften, ganz ohne Röckchen[4]! Da ist ein Weib, zum Exempel, die jedermann von ihrem Adel und ihrem Lande unterhält, dass nun jeder Fremde denken muss: Das ist eine Närrin, die sich auf das bisschen Adel und auf den Ruf ihres Landes Wunderstreiche einbildet – Aber es ist noch viel ärger, eben das Weib ist hier aus der Nachbarschaft eines Amtschreibers Tochter. – Sieh, ich kann das Menschengeschlecht nicht begreifen, das so wenig Sinn hat, um sich so platt zu prostituieren[5].

Zwar ich merke täglich mehr, mein Lieber, wie töricht man ist, andre nach sich zu berechnen. Und weil ich so viel mit mir selbst zu tun habe und dieses Herz und Sinn so stürmisch ist, ach, ich lasse gern die andern ihres Pfads gehen, wenn sie mich nur auch könnten gehn lassen.

---

1 böhmische Dörfer (Dinge, von denen man nichts versteht)
2 (frz. *déraison*) dummes Gerede
3 üble Laune zu bekommen und Zorn herunterzuschlucken
4 unverhüllt
5 hier: zur Schau stellen

Was mich am meisten neckt, sind die fatalen[1] bürgerlichen Verhältnisse. Zwar weiß ich so gut als einer, wie nötig der Unterschied der Stände ist, wie viel Vorteile er mir selbst verschafft, nur soll er mir nicht eben grad im Wege stehn, wo ich noch ein wenig Freude, einen Schimmer von Glück auf dieser Erden genießen könnte. Ich lernte neulich auf dem Spaziergange ein Fräulein von B.. kennen, ein liebenswürdiges Geschöpf, das sehr viele Natur mitten in dem steifen Leben erhalten hat. Wir gefielen uns in unserm Gespräche, und da wir schieden, bat ich sie um Erlaubnis, sie bei sich sehen zu dürfen. Sie gestattete mir das mit so viel Freimütigkeit, dass ich den schicklichen Augenblick kaum erwarten konnte, zu ihr zu gehen. Sie ist nicht von hier und wohnt bei einer Tante im Hause. Die Physiognomie[2] der alten Schachtel gefiel mir nicht. Ich bezeigte ihr viel Aufmerksamkeit, mein Gespräch war meist an sie gewandt, und in minder als einer halben Stunde hatte ich so ziemlich weg, was mir das Fräulein nachher selbst gestund: dass die liebe Tante in ihrem Alter und dem Mangel von allem, vom anständigen Vermögen an bis auf den Geist, keine Stütze hat als die Reihe ihrer Vorfahren, keinen Schirm[3] als den Stand, in dem sie sich verpallisadiert[4], und kein Ergötzen als von ihrem Stockwerk herab über die bürgerlichen Häupter wegzusehen. In ihrer Jugend soll sie schön gewesen sein und ihr Leben so weggegaukelt, erst mit ihrem Eigensinne manchen armen Jungen gequält und in reifern Jahren sich unter den Gehorsam eines alten Offiziers geduckt haben, der gegen diesen Preis und einen leidlichen Unterhalt das ehrne Jahrhundert[5] mit ihr zubrachte und starb, und nun sieht sie im eisernen sich allein und würde nicht angesehn, wär ihre Nichte nicht so liebenswürdig.

*

1 verhängnisvollen
2 Gesichtsausdruck
3 Schutz
4 verschanzt
5 Werther überträgt hier das antike Bild der vier oder fünf Zeitalter auf das menschliche Lebensalter.

den 8. Jan. 1772.

Was das für Menschen sind, deren ganze Seele auf dem Zeremoniell[1] ruht, deren Dichten und Trachten Jahre lang dahin geht, wie sie um einen Stuhl weiter hinauf bei Tische sich einschieben wollen. Und nicht, dass die Kerls sonst keine Angelegenheiten hätten, nein, vielmehr häufen sich die Arbeiten, eben weil man über die kleinen Verdrüsslichkeiten von Beförderung der wichtigen Sachen abgehalten wird. Vorige Woche gab's bei der Schlittenfahrt Händel[2], und der ganze Spaß wurde verdorben.

Die Toren, die nicht sehen, dass es eigentlich auf den Platz gar nicht ankommt und dass der, der den ersten hat, so selten die erste Rolle spielt! Wie mancher König wird durch seinen Minister, wie mancher Minister durch seinen Sekretär regiert. Und wer ist dann der Erste? Der, dünkt mich, der die andern übersieht und so viel Gewalt oder List hat, ihre Kräfte und Leidenschaften zu Ausführung seiner Plane anzuspannen.

*

am 20. Jan.

Ich muss Ihnen schreiben, liebe Lotte, hier in der Stube einer geringen Bauernherberge, in die ich mich vor einem schweren Wetter geflüchtet habe. Solange ich in dem traurigen Neste D.. unter dem fremden, meinem Herzen ganz fremden Volke, herumziehe, hab ich keinen Augenblick gehabt, keinen, an dem mein Herz mich geheißen hätte, Ihnen zu schreiben. Und jetzt in dieser Hütte, in dieser Einsamkeit, in dieser Einschränkung, da Schnee und Schloßen[3] wider mein Fensterchen wüten, hier waren Sie mein erster Gedanke. Wie ich hereintrat, überfiel mich Ihre Gestalt, Ihr Andenken. O Lotte! So heilig, so warm! Guter Gott! Der erste glückliche Augenblick wieder.

---

1 der Etikette (den Regeln des förmlichen Verkehrs an Höfen)
2 Streit
3 Hagelkörner

Wenn Sie mich sähen, meine Beste, in dem Schwall von Zerstreuung! Wie ausgetrocknet meine Sinnen werden, nicht einen Augenblick der Fülle des Herzens, nicht eine selige tränenreiche Stunde. Nichts! Nichts! Ich stehe wie vor einem Raritätenkasten[1] und sehe die Männchen und Gäulchen vor mir herumrücken und frage mich oft, ob's nicht optischer Betrug ist. Ich spiele mit, vielmehr, ich werde gespielt wie eine Marionette und fasse manchmal meinen Nachbar an der hölzernen Hand und schaudere zurück.

Ein einzig weiblich Geschöpf hab ich hier gefunden. Eine Fräulein von B.., Sie gleicht Ihnen, liebe Lotte, wenn man Ihnen gleichen kann. Ei!, werden Sie sagen: Der Mensch legt sich auf niedliche Komplimente! Ganz unwahr ist's nicht. Seit einiger Zeit bin ich sehr artig, weil ich doch nicht anders sein kann, habe viel Witz und die Frauenzimmer sagen, es wüsste niemand so fein zu loben als ich (und zu lügen, setzen Sie hinzu, denn ohne das geht's nicht ab, verstehen Sie?). Ich wollte von Fräulein B.. reden! Sie hat viel Seele, die voll aus ihren blauen Augen hervorblickt, ihr Stand ist ihr zu Last, der keinen der Wünsche ihres Herzens befriedigt. Sie sehnt sich aus dem Getümmel, und wir verfantasieren manche Stunde in ländlichen Szenen von ungemischter Glückseligkeit, ach! Und von Ihnen! Wie oft muss sie Ihnen huldigen. Muss nicht, tut's freiwillig, hört so gern von Ihnen, liebt Sie –

O säß ich zu Ihren Füßen in dem lieben vertraulichen Zimmerchen, und unsere kleinen Lieben wälzten sich miteinander um mich herum, und wenn sie Ihnen zu laut würden, wollt ich sie mit einem schauerlichen Märchen um mich zur Ruhe versammeln. Die Sonne geht herrlich unter über der schneeglänzenden Gegend, der Sturm ist hinübergezogen. Und ich – muss mich wieder in meinen Käfig sperren. Adieu! Ist Albert bei Ihnen? Und wie –? Gott verzeihe mir diese Frage!

*

---

1 Guckkasten (zum Betrachten von Bildern)

am 17. Febr.

Ich fürchte, mein Gesandter und ich halten's nicht lange mehr zusammen aus. Der Mensch ist ganz und gar unerträglich. Seine Art, zu arbeiten und Geschäfte zu treiben, ist so lächerlich, dass ich mich nicht enthalten kann, ihm zu widersprechen und oft eine Sache nach meinem Kopfe und Art zu machen, das ihm denn, wie natürlich, niemals recht ist. Darüber hat er mich neulich bei Hofe verklagt, und der Minister gab mir einen zwar sanften Verweis, aber es war doch ein Verweis, und ich stand im Begriffe, meinen Abschied zu begehren, als ich einen Privatbrief* von ihm erhielt, einen Brief, vor dem ich mich niedergekniet, und den hohen, edlen, weisen Sinn angebetet habe, wie er meine allzu große Empfindlichkeit zurechtweiset, wie er meine überspannten Ideen von Würksamkeit, von Einfluss auf andre, von Durchdringen in Geschäften als jugendlichen guten Mut zwar ehrt, sie nicht auszurotten, nur zu mildern und dahin zu leiten sucht, wo sie ihr wahres Spiel haben, ihre kräftige Würkung tun können. Auch bin ich auf acht Tage gestärkt und in mir selbst einig geworden. Die Ruhe der Seele ist ein herrlich Ding, und die Freude an sich selbst, lieber Freund, wenn nur das Ding nicht ebenso zerbrechlich wäre, als es schön und kostbar ist.

*

am 20. Febr.

Gott segne euch, meine Lieben, geb euch all die guten Tage, die er mir abzieht.

Ich danke dir, Albert, dass du mich betrogen hast, ich wartete auf Nachricht, wann euer Hochzeittag sein würde, und hatte mir vorgenommen, feierlichst an demselben Lottens Schattenriss von der Wand zu nehmen und sie unter andere Papiere zu begraben. Nun seid ihr ein Paar, und ihr Bild ist noch hier! Nun, so soll's bleiben! Und warum nicht? Ich weiß, ich bin ja auch bei euch, bin

* *Man hat aus Ehrfurcht für diesen trefflichen Mann gedachten Brief und einen andern, dessen weiter hinten erwähnt wird, dieser Sammlung entzogen, weil man nicht glaubte, solche Kühnheit durch den wärmsten Dank des Publikums entschuldigen zu können.*

dir unbeschadet in Lottens Herzen. Habe, ja ich habe den zweiten Platz drinne und will und muss ihn behalten. O ich würde rasend werden, wenn sie vergessen könnte – Albert in dem Gedanken liegt eine Hölle. Albert! Leb wohl. Leb wohl, Engel des Himmels, leb wohl, Lotte! 5

*

am 15. März.

Ich hab einen Verdruss gehabt, der mich von hier wegtreiben wird, ich knirsche mit den Zähnen! Teufel! Er ist nicht zu ersetzen, und ihr seid doch allein schuld daran, die ihr mich sporntet und triebt und quältet, mich in einen Posten zu begeben, der nicht nach meinem Sinne 10 war. Nun hab ich's, nun habt ihr's. Und dass du nicht wieder sagst: meine überspannten Ideen verdürben alles; so hast du hier, lieber Herr, eine Erzählung, plan[1] und nett, wie ein Chronikenschreiber[2] das aufzeichnen 15 würde.

Der Graf v. C.. liebt mich, distinguiert[3] mich, das ist bekannt, das hab ich dir schon hundertmal gesagt. Nun war ich bei ihm zu Tische gestern, eben an dem Tage, da abends die noble Gesellschaft von Herren und Frauen 20 bei ihm zusammenkommt, an die ich nie gedacht hab, auch mir nie aufgefallen ist, dass wir Subalternen[4] nicht hineingehören. Gut. Ich speise beim Grafen und nach Tische gehn wir im großen Saale auf und ab, ich rede mit ihm, mit dem Obrist[5] B.., der dazukommt, und so rückt 25 die Stunde der Gesellschaft heran. Ich denke, Gott weiß, an nichts. Da tritt herein die übergnädige Dame von S.. mit dero Herrn Gemahl und wohl ausgebrüteten Gänslein Tochter, mit der flachen Brust und niedlichem Schnürleib[6], machen en passant[7] ihre hergebrachten hoch- 30

---

1 einfach
2 Geschichtsschreiber
3 zeichnet mich aus
4 Untergeordneten
5 Oberst
6 miederartigem (den Leib einschürendem und formendem) Kleidungsstück
7 frz., im Vorbeigehen

adligen Augen und Naslöcher, und wie mir die Nation[1] von Herzen zuwider ist, wollt ich eben mich empfehlen und wartete nur, bis der Graf vom garstigen Gewäsche frei wäre, als eben meine Fräulein B.. hereintrat, da mir denn das Herz immer ein bisschen aufgeht, wenn ich sie sehe, blieb ich eben, stellte mich hinter ihren Stuhl und bemerkte erst nach einiger Zeit, dass sie mit weniger Offenheit als sonst, mit einiger Verlegenheit mit mir redte. Das fiel mir auf. Ist sie auch wie all das Volk, dacht ich, hol sie der Teufel! Und war angestochen und wollte gehn, und doch blieb ich, weil ich intrigiert[2] war, das Ding näher zu beleuchten. Über dem füllt sich die Gesellschaft. Der Baron F.. mit der ganzen Garderobe von den Krönungszeiten Franz des Ersten[3] her, der Hofrat R.., hier aber in qualitate[4] Herr von R.. genannt, mit seiner tauben Frau etc., den übel fournierten[5] J.. nicht zu vergessen, bei dessen Kleidung Reste des altfränkischen mit dem neu'st Aufgebrachten kontrastieren etc., das kommt all und ich rede mit einigen meiner Bekanntschaft, die alle sehr lakonisch[6] sind, ich dachte – und gab nur auf meine B.. Acht. Ich merkte nicht, dass die Weiber am Ende des Saals sich in die Ohren pisperten, dass es auf die Männer zirkulierte[7], dass Frau von S.. mit dem Grafen redte (das alles hat mir Fräulein B.. nachher erzählt), bis endlich der Graf auf mich losging und mich in ein Fenster[8] nahm. Sie wissen, sagt er, unsere wunderbaren Verhältnisse, die Gesellschaft ist unzufrieden, merk ich, Sie hier zu sehn, ich wollte nicht um alles – Ihro Exzellenz, fiel ich ein, ich bitte tausendmal um Verzeihung, ich hätte eher dran denken sollen, und ich weiß,

---

1 hier: Geburts- und Erbadel
2 interessiert
3 Franz I., seit 1736 Gatte Maria Theresias, wurde 1745 zum deutschen Kaiser gekrönt.
4 lat., mit Rücksicht auf sein Amt
5 schlecht ausgestatteten
6 kurz angebunden
7 Kreise zog, sich herumsprach
8 eine Fensternische

Sie verzeihen mir diese Inkonsequenz[1], ich wollte schon vorhin mich empfehlen, ein böser Genius[2] hat mich zurückgehalten, setzte ich lächelnd hinzu, indem ich mich neigte. Der Graf drückte meine Hände mit einer Empfindung, die alles sagte. Ich machte der vornehmen Gesellschaft mein Kompliment, ging und setzte mich in ein Kabriolett[3] und fuhr nach M.., dort vom Hügel die Sonne untergehen zu sehen und dabei in meinem Homer den herrlichen Gesang zu lesen, wie Ulyss[4] von dem trefflichen Schweinhirten bewirtet wird. Das war all gut. Des Abends komm ich zurück zu Tische. Es waren noch wenige in der Gaststube, die würfelten auf einer Ecke, hatten das Tischtuch zurückgeschlagen. Da kommt der ehrliche A.. hinein, legt seinen Hut nieder, indem er mich ansieht, tritt zu mir und sagt leise: Du hast Verdruss gehabt? Ich?, sagt ich – Der Graf hat dich aus der Gesellschaft gewiesen – Hol sie der Teufel, sagt ich, mir war's lieb, dass ich in die freie Luft kam – Gut, sagt er, dass du's auf die leichte Schulter nimmst. Nur verdrießt mich's. Es ist schon überall herum. – Da fing mich das Ding erst an zu wurmen. Alle, die zu Tische kamen und mich ansahen, dachte ich, die sehen dich darum an! Das fing an, mir böses Blut zu setzen.
Und da man nun heute gar, wo ich hintrete, mich bedauert, da ich höre, dass meine Neider nun triumphieren und sagen: Da sähe man's, wo's mit den Übermütigen hinausging, die sich ihres bisschen Kopf's überhüben und glaubten, sich darum über alle Verhältnisse hinaussetzen zu dürfen, und was des Hundegeschwätzes mehr ist. Da möchte man sich ein Messer ins Herz bohren. Denn man rede von Selbstständigkeit, was man will, den will ich sehn, der dulden kann, dass Schurken über ihn reden, wenn sie eine Prise[5] über ihn haben. Wenn ihr Geschwätz leer ist, ach! da kann man sie leicht lassen.

[1] hier: Nachlässigkeit, Versehen
[2] Geist
[3] eine Kutsche (einen leichten zweirädrigen Einspänner)
[4] lat. Name für Odysseus aus Homers „Odyssee“
[5] einen Vorteil

*

am 16. März.

Es hetzt mich alles! Heut treff ich die Fräulein B.. in der Allee. Ich konnte mich nicht enthalten sie anzureden und ihr, sobald wir etwas entfernt von der Gesellschaft waren, meine Empfindlichkeit über ihr neuliches Betragen zu zeigen. O Werther, sagte sie mit einem innigen Tone, konnten Sie meine Verwirrung so auslegen, da Sie mein Herz kennen. Was ich gelitten habe um Ihrentwillen, von dem Augenblicke an, da ich in den Saal trat. Ich sah alles voraus, hundertmal saß mir's auf der Zunge, es Ihnen zu sagen, ich wusste, dass die von S.. und T.. mit ihren Männern eher aufbrechen würden, als in Ihrer Gesellschaft zu bleiben, ich wusste, dass der Graf es nicht mit Ihnen verderben darf, und jetzo der Lärm – Wie, Fräulein?, sagt ich und verbarg meinen Schrecken, denn alles, was Adelin mir ehgestern gesagt hatte, lief mir wie siedend Wasser durch die Adern in diesem Augenblicke. – Was hat mich's schon gekostet!, sagte das süße Geschöpf, indem ihr die Tränen in den Augen stunden. Ich war nicht Herr mehr von mir selbst, war im Begriff, mich ihr zu Füßen zu werfen. Erklären Sie sich, ruft ich: Die Tränen liefen ihr die Wangen herunter, ich war außer mir. Sie trocknete sie ab, ohne sie verbergen zu wollen. Meine Tante kennen Sie, fing sie an; sie war gegenwärtig und hat, o mit was für Augen hat sie das angesehn. Werther, ich habe gestern Nacht ausgestanden und heute früh eine Predigt über meinen Umgang mit Ihnen, und ich habe müssen zuhören Sie herabzusetzen, erniedrigen und konnte und durfte Sie nur halb verteidigen. Jedes Wort, das sie sprach, ging mir wie Schwerter durchs Herz. Sie fühlte nicht, welche Barmherzigkeit es gewesen wäre, mir das alles zu verschweigen, und nun fügte sie noch all dazu, was weiter würde geträtscht[1] werden, was die schlechten Kerls alle darüber triumphieren würden. Wie man nunmehro meinen Übermut und Geringschätzung andrer, das sie mir schon lange vorwerfen, gestraft, erniedrigt ausschreien würde. Das alles, Wilhelm, von ihr zu hören, mit der Stimme der

---

1 getratscht (geschwatzt)

wahrsten Teilnehmung. Ich war zerstört und bin noch wütend in mir. Ich wollte, dass sich einer unterstünde mir's vorzuwerfen, dass ich ihm den Degen durch den Leib stoßen könnte! Wenn ich Blut sähe, würde mir's besser werden. Ach, ich hab hundertmal ein Messer ergriffen, um diesem gedrängten Herzen Luft zu machen. Man erzählt von einer edlen Art Pferde, die, wenn sie schröcklich erhitzt und aufgejagt sind, sich selbst aus Instinkt eine Ader aufbeißen, um sich zum Atem zu helfen. So ist mir's oft, ich möchte mir eine Ader öffnen, die mir die ewige Freiheit schaffte.

*

am 24. März.

Ich habe meine Dimission[1] bei Hofe verlangt und werde sie, hoff ich, erhalten, und ihr werdet mir verzeihen, dass ich nicht erst Permission[2] dazu bei euch geholt habe. Ich musste nun einmal fort, und was ihr zu sagen hattet, um mir das Bleiben einzureden, weiß ich all, und also – Bring das meiner Mutter in einem Säftchen[3] bei, ich kann mir selbst nicht helfen, also mag sie sich's gefallen lassen, wenn ich ihr auch nicht helfen kann. Freilich muss es ihr wehtun. Den schönen Lauf, den ihr Sohn grad zum Geheimrat[4] und Gesandten ansetzte, so auf einmal Halte[5] zu sehen, und rückwärts mit dem Tierchen in den Stall. Macht nun draus, was ihr wollt, und kombiniert die möglichen Fälle, unter denen ich hätte bleiben können und sollen. Genug, ich gehe. Und damit ihr wisst, wo ich hinkomme, so ist hier der Fürst **, der viel Geschmack an meiner Gesellschaft findet, der hat mich gebeten, da er von meiner Absicht hörte, mit ihm auf seine Güter zu gehen und den schönen Frühling da zuzubringen. Ich soll ganz mir selbst gelassen sein, hat er mir versprochen, und da wir uns zusammen bis auf einen gewissen Punkt verstehn, so will ich's denn auf gut Glück wagen und mit ihm gehn.

---

1 Entlassung
2 Erlaubnis
3 wie bittere Medizin in schmackhafter Lösung
4 zum Geheimen Rat (höheren Beamten)
5 ursprünglich: auf einem Viehweideplatz (verharren)

den 19. April.

Zur Nachricht.

Danke für deine beiden Briefe. Ich antwortete nicht, weil ich diesen Brief liegen ließ, bis mein Abschied vom Hofe da wäre, weil ich fürchtete, meine Mutter möchte sich an den Minister wenden und mir mein Vorhaben erschweren. Nun aber ist's geschehen, mein Abschied ist da. Ich mag euch nicht sagen, wie ungern man mir ihn gegeben hat und was mir der Minister schreibt, ihr würdet in neue Lamentationen[1] ausbrechen. Der Erbprinz hat mir zum Abschied fünfundzwanzig Dukaten geschickt, mit einem Wort, das mich bis zu Tränen gerührt hat. Also braucht die Mutter mir das Geld nicht zu schicken, um das ich neulich schrieb.

*

am 5. Mai.

Morgen geh ich von hier ab, und weil mein Geburtsort nur sechs Meilen vom Wege liegt, so will ich den auch wiedersehen, will mich der alten glücklich verträumten Tage erinnern. Zu eben dem Tore will ich hineingehn, aus dem meine Mutter mit mir herausfuhr, als sie nach dem Tode meines Vaters den lieben, vertraulichen Ort verließ, um sich in ihre unerträgliche Stadt einzusperren. Adieu, Wilhelm, du sollst von meinem Zuge hören.

*

am 9. Mai.

Ich habe die Wallfahrt nach meiner Heimat mit aller Andacht eines Pilgrims[2] vollendet und manche unerwartete Gefühle haben mich ergriffen. An der großen Linde, die eine Viertelstunde vor der Stadt nach S.. zu steht, ließ ich halten, stieg aus und hieß den Postillon[3] fortfahren, um zu Fuße jede Erinnerung ganz neu, lebhaft nach meinem Herzen zu kosten. Da stand ich nun unter der Linde, die ehedessen als Knabe das Ziel und die Grenze meiner Spaziergänge gewesen. Wie anders! Damals sehnt ich mich in

---

1 Klagen
2 Pilgers
3 Fahrer der Postkutsche

glücklicher Unwissenheit hinaus in die unbekannte Welt, wo ich für mein Herz alle die Nahrung, alle den Genuss hoffte, dessen Ermangeln ich so oft in meinem Busen[1] fühlte. Jetzt kam ich zurück aus der weiten Welt – O mein Freund, mit wie viel fehlgeschlagenen Hoffnungen, mit wie viel zerstörten Planen! – Ich sah das Gebürge vor mir liegen, das so tausendmal der Gegenstand meiner Wünsche gewesen. Stundenlang konnte ich hier sitzen und mich hinübersehnen, mit inniger Seele mich in den Wäldern, den Tälern verlieren, die sich meinen Augen so freundlich dämmernd darstellten – und wenn ich denn nun die bestimmte Zeit wieder zurückmusste, mit welchem Widerwillen verließ ich nicht den lieben Platz! Ich kam der Stadt näher, alle alte bekannte Gartenhäuschen wurden von mir gegrüßt, die neuen waren mir zuwider, so auch alle Veränderungen, die man sonst vorgenommen hatte. Ich trat zum Tore hinein und fand mich doch gleich und ganz wieder. Lieber, ich mag nicht ins Detail gehn, so reizend, als es mir war, so einförmig würde es in der Erzählung werden. Ich hatte beschlossen, auf dem Markte zu wohnen, gleich neben unserm alten Hause. Im Hingehen bemerkte ich, dass die Schulstube, wo ein ehrlich altes Weib unsere Kindheit zusammengepfercht hatte, in einen Kram[2] verwandelt war. Ich erinnerte mich der Unruhe, der Tränen, der Dumpfheit des Sinnes, der Herzensangst, die ich in dem Loche ausgestanden hatte – ich tat keinen Schritt, der nicht merkwürdig war. Ein Pilger im heiligen Lande trifft nicht so viel Stätten religiöser Erinnerung, und seine Seele ist schwerlich so voll heiliger Bewegung. – Noch eins für tausend. Ich ging den Fluss hinab, bis an einen gewissen Hof, das war sonst auch mein Weg, und die Plätzchen, da wir Knaben uns übten, die meisten Sprünge der flachen Steine im Wasser hervorzubringen. Ich erinnere mich so lebhaft, wenn ich manchmal stand und dem Wasser nachsah, mit wie wunderbaren Ahndungen ich das verfolgte, wie abenteuerlich ich mir die Gegenden vorstellte, wo es nun hinflösse und wie ich da

---

1 Brust (als Ort des Herzens, der innersten Gefühle)
2 Kramladen

so bald Grenzen meiner Vorstellungskraft fand, und doch musste das weitergehn, immer weiter, bis ich mich ganz in dem Anschauen einer unsichtbaren Ferne verlor. Siehe, mein Lieber, das ist doch eben das Gefühl der herrlichen Altväter! Wenn Ulyss von dem ungemessenen Meere und von der unendlichen Erde spricht, ist das nicht wahrer, menschlicher, inniger, als wenn jetzo jeder Schulknabe sich wunder weise dünkt, wenn er nachsagen kann, dass sie rund sei.

Nun bin ich hier auf dem fürstlichen Jagdschlosse. Es lässt sich noch ganz wohl mit dem Herrn leben, er ist ganz wahr und einfach. Was mir noch manchmal leidtut, ist, dass er oft über Sachen redt, die er nur gehört und gelesen hat, und zwar aus eben dem Gesichtspunkte, wie sie ihm der andere darstellen mochte.

Auch schätzt er meinen Verstand und Talente mehr als dies Herz, das doch mein einziger Stolz ist, das ganz allein die Quelle von allem ist, aller Kraft, aller Seligkeit und alles Elends. Ach, was ich weiß, kann jeder wissen. – Mein Herz hab ich allein.

*

am 25. Mai.

Ich hatte etwas im Kopfe, davon ich euch nichts sagen wollte, bis es ausgeführt wäre, jetzt, da nichts draus wird, ist's ebenso gut. Ich wollte in den Krieg! Das hat mir lang am Herzen gelegen. Vornehmlich darum bin ich dem Fürsten hieher gefolgt, der General in ***schen Diensten ist. Auf einem Spaziergange entdeckte ich ihm mein Vorhaben, er widerriet mir's, und es müsste bei mir mehr Leidenschaft als Grille gewesen sein, wenn ich seinen Gründen nicht hätte Gehör geben wollen.

*

am 11. Juni.

Sag, was du willst, ich kann nicht länger bleiben. Was soll ich hier? Die Zeit wird mir lang. Der Fürst hält mich wie seinesgleichen gut, und doch bin ich nicht in meiner Lage[1]. Und dann, wir haben im Grunde nichts Gemeines[2]

---

1 an meinem rechten Platz

2 Gemeinsames

miteinander. Er ist ein Mann von Verstande, aber von ganz gemeinem[1] Verstande, sein Umgang unterhält mich nicht mehr, als wenn ich ein wohlgeschrieben Buch lese. Noch acht Tage bleib ich, und dann zieh ich wieder in der Irre herum. Das Beste, was ich hier getan habe, ist mein Zeichnen. Und der Fürst fühlt in der Kunst und würde noch stärker fühlen, wenn er nicht durch das garstige wissenschaftliche Wesen und durch die gewöhnliche Terminologie[2] eingeschränkt wäre. Manchmal knirsch ich mit den Zähnen, wenn ich ihn mit warmer Imagination[3] so an Natur und Kunst herumführe und er's auf einmal recht gut zu machen denkt, wenn er mit einem gestempelten Kunstworte dreintölpelt.

*

am 18. Juni.

Wo ich hin will? Das lass dir im Vertrauen eröffnen. Vierzehn Tage muss ich doch noch hierbleiben, und dann hab ich mir weisgemacht, dass ich die Bergwerke in **schen besuchen wollte, ist aber im Grunde nichts dran, ich will nur Lotten wieder näher, das ist alles. Und ich lache über mein eigen Herz – und tu ihm seinen Willen.

*

am 29. Juli.

Nein, es ist gut! Es ist alles gut! Ich ihr Mann! O Gott, der du mich machtest, wenn du mir diese Seligkeit bereitet hättest, mein ganzes Leben sollte ein anhaltendes Gebet sein. Ich will nicht rechten, und verzeih mir diese Tränen, verzeih mir meine vergeblichen Wünsche. – Sie meine Frau! Wenn ich das liebste Geschöpf unter der Sonne in meine Arme geschlossen hätte – Es geht mir ein Schauder durch den ganzen Körper, Wilhelm, wenn Albert sie um den schlanken Leib fasst.

Und, darf ich's sagen? Warum nicht, Wilhelm, sie wäre mit mir glücklicher geworden als mit ihm! O er ist nicht

---

1 gewöhnlichem, durchschnittlichem
2 Fachsprache
3 Einbildungskraft

der Mensch, die Wünsche dieses Herzens alle zu füllen. Ein gewisser Mangel an Fühlbarkeit, ein Mangel – nimm's, wie du willst, dass sein Herz nicht sympathetisch[1] schlägt bei – oh! – bei der Stelle eines lieben Buchs, 5 wo mein Herz und Lottens in einem zusammentreffen. In hundert andern Vorfällen, wenn's kommt, dass unsere Empfindungen über eine Handlung eines Dritten laut werden. Lieber Wilhelm! – Zwar er liebt sie von ganzer Seele, und so eine Liebe, was verdient die nicht –
10 Ein unerträglicher Mensch hat mich unterbrochen. Meine Tränen sind getrocknet. Ich bin zerstreut. Adieu, Lieber.

*

am 4. August.

Es geht mir nicht allein so. Alle Menschen werden in ihren Hoffnungen getäuscht, in ihren Erwartungen betro- 15 gen. Ich besuchte mein gutes Weib[2] unter der Linde. Der ältste Bub lief mir entgegen, sein Freudengeschrei führte die Mutter herbei, die sehr niedergeschlagen aussah. Ihr erstes Wort war: Guter Herr! Ach, mein Hans ist mir gestorben, es war der jüngste ihrer Knaben, ich war stille, 20 und mein Mann, sagte sie, ist aus der Schweiz zurück und hat nichts mitgebracht, und ohne gute Leute hätte er sich herausbetteln müssen. Er hatte das Fieber kriegt unterwegs. Ich konnte ihr nichts sagen und schenkte dem Kleinen was, sie bat mich einige Äpfel anzunehmen, das 25 ich tat und den Ort des traurigen Andenkens verließ.

*

am 21. Aug.

Wie man eine Hand umwendet, ist's anders mit mir. Manchmal will so ein freudiger Blick des Lebens wieder aufdämmern, ach nur für einen Augenblick! Wenn ich mich 30 so in Träumen verliere, kann ich mich des Gedankens nicht erwehren: Wie, wenn Albert stürbe! Du würdest! ja sie würde – und dann lauf ich dem Hirngespinste nach, bis es mich an Abgründe führt, vor denen ich zurückbebe.
Wenn ich so dem Tore hinausgehe, den Weg, den ich 35 zum ersten Mal fuhr, Lotten zum Tanze zu holen, wie

[1] mitempfindend
[2] vgl. den Brief vom 27.5.71

war das all so anders! Alles, alles ist vorübergegangen! Kein Wink der vorigen Welt, kein Pulsschlag meines damaligen Gefühls. Mir ist's, wie's einem Geiste sein müsste, der in das versengte, verstörte Schloss zurückkehrte, das er als blühender Fürst einst gebaut und, mit allen Gaben der Herrlichkeit ausgestattet, sterbend seinem geliebten Sohne hoffnungsvoll hinterlassen.

*

am 3. September.

Ich begreife manchmal nicht, wie sie ein anderer liebhaben kann, liebhaben darf, da ich sie so ganz allein, so innig, so voll liebe, nichts anders kenne, noch weiß, noch habe als sie.

*

am 6. Sept.

Es hat schwer gehalten, bis ich mich entschloss, meinen blauen einfachen Frack, in dem ich mit Lotten zum ersten Mal tanzte, abzulegen, er ward aber zuletzt gar unscheinbar. Auch hab ich mir einen machen lassen, ganz wie den vorigen, Kragen und Aufschlag und auch wieder so gelbe West und Hosen dazu.
Ganz will's es doch nicht tun. Ich weiß nicht – Ich denke, mit der Zeit soll mir der auch lieber werden.

*

am 15. Sept.

Man möchte sich dem Teufel ergeben, Wilhelm, über all die Hunde, die Gott auf Erden duldet, ohne Sinn und Gefühl an dem wenigen, was drauf noch was wert ist. Du kennst die Nussbäume, unter denen ich bei dem ehrlichen Pfarrer zu St.. mit Lotten gesessen, die herrlichen Nussbäume, die mich, Gott weiß, immer mit dem größten Seelenvergnügen füllten. Wie vertraulich sie den Pfarrhof machten, wie kühl, und wie herrlich die Äste waren. Und die Erinnerung bis zu den guten Kerls von Pfarrers, die sie vor so viel Jahren pflanzten. Der Schulmeister hat uns den einen Namen oft genannt, den er von seinem Großvater gehört hatte, und so ein braver Mann soll er gewesen sein, und sein Andenken war mir immer heilig,

unter den Bäumen. Ich sage dir, dem Schulmeister standen die Tränen in den Augen, da wir gestern davon redeten, dass sie abgehauen worden – Abgehauen! Ich möchte rasend werden, ich könnte den Hund ermorden, der den
5 ersten Hieb dran tat. Ich, der ich könnte mich vertrauren[1], wenn so ein paar Bäume in meinem Hofe stünden und einer davon stürbe vor Alter ab, ich muss so zusehn. Lieber Schatz, eins ist doch dabei! Was Menschengefühl ist! Das ganze Dorf murrt, und ich hoffe, die Frau Pfarrern soll's
10 an Butter und Eiern[2] und übrigem Zutragen spüren, was für eine Wunde sie ihrem Orte gegeben hat. Denn sie ist's, die Frau des neuen Pfarrers, unser Alter ist auch gestorben, ein hageres, kränkliches Tier, das sehr Ursache hat, an der Welt keinen Anteil zu nehmen, denn niemand
15 nimmt Anteil an ihr. Eine Fratze, die sich abgibt gelehrt zu sein, sich in die Untersuchung des Kanons[3] meliert[4], gar viel an der neumodischen, moralisch-kritischen Reformation des Christentums[5] arbeitet und über Lavaters[6] Schwärmereien die Achseln zuckt, eine ganz zerrüttete
20 Gesundheit hat und auf Gottes Erdboden deswegen keine Freude. So ein Ding war's auch allein, um meine Nussbäume abzuhauen. Siehst du, ich komme nicht zu mir! Stelle dir vor, die abfallenden Blätter machen ihr den Hof unrein und dumpfig, die Bäume nehmen ihr das Tages-
25 licht, und wenn die Nüsse reif sind, so werfen die Knaben mit Steinen danach, und das fällt ihr auf die Nerven, und das stört sie in ihren tiefen Überlegungen, wenn sie Kennikot, Semler und Michaelis[7] gegeneinander abwiegt. Da ich die Leute im Dorfe, besonders die Alten, so unzufrie-
30 den sah, sagt' ich: Warum habt ihr's gelitten[8]? – Wenn der

---

1 vor Trauer vergehen
2 als Gegenleistung der Gemeinde
3 der offiziell-kirchlich anerkannten Bücher der Bibel (im Gegensatz zu den Apokryphen)
4 von frz. *se mêler de qc.*, sich um etwas kümmern
5 d.h. an dem Versuch die allgemein menschlichen Züge des Christentums von ihrer geschichtlichen Bedingtheit zu lösen
6 vgl. die Fußnote zum Brief vom 1.7.1771
7 Vertreter aufklärerischer Theologie
8 geduldet

Schulz[1] will, hierzulande, sagten sie, was kann man machen. Aber eins ist recht geschehn, der Schulz und der Pfarrer, der doch auch von seiner Frauen Grillen, die ihm so die Suppen nicht fettmachen, etwas haben wollte, dachten's miteinander zu teilen, da erfuhr's die Kammer[2] 5 und sagte: Hier herein! Und verkaufte die Bäume an den Meistbietenden. Sie liegen! O wenn ich Fürst wäre! Ich wollt die Pfarrern, den Schulzen und die Kammer – Fürst! – Ja wenn ich Fürst wäre, was kümmerten mich die Bäume in meinem Lande. 10

*

am 10. Oktober.

Wenn ich nur ihre schwarzen Augen sehe, ist mir's schon wohl! Sieh, und was mich verdrüsst, ist, dass Albert nicht so beglückt zu sein scheinet, als er – hoffte – als ich – zu sein glaubte – wenn – Ich mache nicht gern 15 Gedankenstriche, aber hier kann ich mich nicht anders ausdrucken – und mich dünkt deutlich genug.

*

am 12. Oktober.

Ossian[3] hat in meinem Herzen den Homer verdrängt. Welch eine Welt, in die der Herrliche mich führt. Zu 20 wandern über die Heide, umsaust vom Sturmwinde, der in dampfenden Nebeln die Geister der Väter im dämmernden Lichte des Mondes hinführt. Zu hören vom Gebürge her, im Gebrülle des Waldstroms, halb verwehtes Ächzen der Geister aus ihren Höhlen und die Wehklagen 25 des zu Tode gejammerten Mädchens um die vier moosbedeckten, grasbewachsnen Steine des Edelgefallnen, ihres Geliebten. Wenn ich ihn denn finde, den wandelnden grauen Barden[4], der auf der weiten Heide die Fußstapfen seiner Väter sucht und ach! ihre Grabsteine findet. Und 30 dann jammernd nach dem lieben Sterne des Abends hin-

[1] Bürgermeister, Gemeindevorsteher
[2] Rentkammer (landesfürstliche Rechnungsbehörde, die die regelmäßigen Einkünfte einzieht)
[3] vgl. den Brief vom 10.7.1771
[4] Sänger

blickt, der sich ins rollende Meer verbirgt, und die Zeiten der Vergangenheit in des Helden Seele lebendig werden, da noch der freundliche Strahl der Gefahren der Tapfern leuchtete und der Mond ihr bekränztes, siegrückkehrendes Schiff beschien. Wenn ich so den tiefen Kummer auf seiner Stirne lese, so den letzten verlassnen Herrlichen in aller Ermattung dem Grabe zuwanken sehe, wie er immer neue, schmerzlich glühende Freuden in der kraftlosen Gegenwart der Schatten seiner Abgeschiedenen einsaugt und nach der kalten Erde dem hohen wehenden Grase niedersieht und ausruft: Der Wanderer wird kommen, kommen, der mich kannte in meiner Schönheit, und fragen, wo ist der Sänger, Fingals[1] trefflicher Sohn? Sein Fußtritt geht über mein Grab hin und er fragt vergebens nach mir auf der Erde. O Freund! Ich möchte gleich einem edlen Waffenträger das Schwert ziehen und meinen Fürsten von der zückenden Qual des langsam absterbenden Lebens auf einmal befreien und dem befreiten Halbgott meine Seele nachsenden.

*

am 19. Oktober.

Ach diese Lücke! Diese entsetzliche Lücke, die ich hier in meinem Busen fühle! Ich denke oft! – Wenn du sie nur einmal, nur einmal an dieses Herz drücken könntest. All diese Lücke würde ausgefüllt sein.

*

am 26. Oktober.

Ja, es wird mir gewiss, Lieber! Gewiss und immer gewisser, dass an dem Dasein eines Geschöpfs so wenig gelegen ist, ganz wenig. Es kam eine Freundin zu Lotten, und ich ging herein ins Nebenzimmer, ein Buch zu nehmen, und konnte nicht lesen, und dann nahm ich eine Feder zu schreiben. Ich hörte sie leise reden, sie erzählten einander insofern unbedeutende Sachen, Stadtneuigkeiten: Wie diese heiratet, wie jene krank, sehr krank ist. Sie hat einen trocknen Husten, die Knochen stehn ihr zum

[1] Vater des Sängers Ossian und Held in dessen Gesängen

Gesichte heraus und kriegt Ohnmachten, ich gebe keinen Kreuzer für ihr Leben, sagt die eine. Der N. N. ist auch so übel dran, sagte Lotte. Er ist schon geschwollen, sagte die andre. Und meine lebhafte Einbildungskraft versetzte mich ans Bette dieser Armen, ich sah sie, mit welchem Widerwillen sie dem Leben den Rücken wandten, wie sie – Wilhelm, und meine Weibchens redeten davon, wie man eben davon redt: dass ein Fremder stirbt. – Und wenn ich mich umsehe und seh das Zimmer an, und rings um mich Lottens Kleider, hier ihre Ohrringe auf dem Tischchen und Alberts Skripturen[1] und diese Möbel, denen ich nun so befreundet bin, sogar diesem Tintenfass; und denke: Sieh, was du nun diesem Hause bist! Alles in allem. Deine Freunde ehren dich! Du machst oft ihre Freude, und deinem Herzen scheint's, als wenn es ohne sie nicht sein könnte, und doch – wenn du nun gingst? Wenn du aus diesem Kreise schiedest, würden sie? Wie lange würden sie die Lücke fühlen, die dein Verlust in ihr Schicksal reißt? Wie lang? – O so vergänglich ist der Mensch, dass er auch da, wo er seines Daseins eigentliche Gewissheit hat, da, wo er den einzigen wahren Eindruck seiner Gegenwart macht, in dem Andenken in der Seele seiner Lieben, dass er auch da verlöschen, verschwinden muss, und das – so bald!

*

am 27. Oktober.

Ich möchte mir oft die Brust zerreißen und das Gehirn einstoßen, dass man einander so wenig sein kann. Ach die Liebe und Freude und Wärme und Wonne, die ich nicht hinzubringe, wird mir der andre nicht geben, und mit einem ganzen Herzen voll Seligkeit werd ich den andern nicht beglücken, der kalt und kraftlos vor mir steht.

*

am 30. Oktober.

Wenn ich nicht schon hundertmal auf dem Punkte gestanden bin, ihr um den Hals zu fallen. Weiß der große

1 Schriftstücke

Gott, wie einem das tut, so viel Liebenswürdigkeit vor sich herumkreuzen zu sehn und nicht zugreifen zu dürfen. Und das Zugreifen ist doch der natürlichste Trieb der Menschheit. Greifen die Kinder nicht nach allem, was ihnen in Sinn fällt? Und ich?

*

am 3. November.

Weiß Gott, ich lege mich so oft zu Bette mit dem Wunsche, ja, manchmal mit der Hoffnung, nicht wieder zu erwachen, und morgens schlag ich die Augen auf, sehe die Sonne wieder und bin elend. O dass ich launisch sein könnte, könnte die Schuld aufs Wetter, auf einen Dritten, auf eine fehlgeschlagene Unternehmung schieben; so würde die unerträgliche Last des Unwillens doch nur halb auf mir ruhen. Weh mir, ich fühle zu wahr, dass an mir allein alle Schuld liegt, – nicht Schuld! Genug, dass in mir die Quelle alles Elendes verborgen ist, wie es ehemals die Quelle aller Seligkeiten war. Bin ich nicht noch eben derselbe, der ehemals in aller Fülle der Empfindung herumschwebte, dem auf jedem Tritte ein Paradies folgte, der ein Herz hatte, eine ganze Welt liebevoll zu umfassen. Und das Herz ist jetzo tot, aus ihm fließen keine Entzückungen mehr, meine Augen sind trocken und meine Sinnen, die nicht mehr von erquickenden Tränen gelabt werden, ziehen ängstlich meine Stirne zusammen. Ich leide viel, denn ich habe verloren, was meines Lebens einzige Wonne war, die heilige, belebende Kraft, mit der ich Welten um mich schuf. Sie ist dahin! – Wenn ich zu meinem Fenster hinaus an den fernen Hügel sehe, wie die Morgensonne über ihn her den Nebel durchbricht und den stillen Wiesengrund bescheint und der sanfte Fluss zwischen seinen entblätterten Weiden zu mir herschlängelt, o wenn da diese herrliche Natur so starr vor mir steht wie ein lackiert Bildchen und all die Wonne keinen Tropfen Seligkeit aus meinem Herzen herauf in das Gehirn pumpen kann und der ganze Kerl vor Gottes Angesicht steht wie ein versiegter Brunn, wie ein verlechter[1] Eimer! Ich habe mich so oft auf den Boden ge-

[1] rissiger

worfen und Gott um Tränen gebeten, wie ein Ackersmann um Regen, wenn der Himmel ehern über ihm ist und um ihn die Erde verdürstet.
Aber, ach, ich fühl's! Gott gibt Regen und Sonnenschein nicht unserm ungestümen Bitten, und jene Zeiten, deren Andenken mich quält, warum waren sie so selig? Als weil ich mit Geduld seinen Geist erwartete und die Wonne, die er über mich ausgoss, mit ganzem, innig dankbarem Herzen aufnahm.

*

am 8. Nov.

Sie hat mir meine Exzesse[1] vorgeworfen! Ach, mit so viel Liebenswürdigkeit! Meine Exzesse, dass ich mich manchmal von einem Glas Wein verleiten lasse, eine Bouteille[2] zu trinken. Tun Sie's nicht!, sagte sie, denken Sie an Lotten! – Denken!, sagt' ich, brauchen Sie mir das zu heißen? Ich denke! – Ich denke nicht! Sie sind immer vor meiner Seelen. Heut saß ich an dem Flecke, wo Sie neulich aus der Kutsche stiegen – Sie redte was anders, um mich nicht tiefer in den Text kommen zu lassen. Bester, ich bin dahin! Sie kann mit mir machen, was sie will.

*

am 15. Nov.

Ich danke dir, Wilhelm, für deinen herzlichen Anteil, für deinen wohlmeinenden Rat und bitte dich, ruhig zu sein. Lass mich ausdulden, ich habe bei all meiner Müdseligkeit[3] noch Kraft genug durchzusetzen. Ich ehre die Religion, das weißt du, ich fühle, dass sie manchem Ermatteten Stab, manchem Verschmachtenden Erquickung ist. Nur – kann sie denn, muss sie denn das einem jeden sein? Wenn du die große Welt ansiehst, so siehst du Tausende, denen sie's nicht war, Tausende denen sie's nicht sein wird, gepredigt oder ungepredigt, und muss sie

1 Ausschweifungen
2 frz., Flasche
3 Lebensmüdigkeit

mir's denn sein? Sagt nicht selbst der Sohn Gottes: dass die um ihn sein würden, die ihm der Vater gegeben hat[1]. Wenn ich ihm nun nicht gegeben bin! Wenn mich nun der Vater für sich behalten will, wie mir mein Herz sagt! Ich bitte dich, lege das nicht falsch aus, sieh nicht etwa Spott in diesen unschuldigen Worten, es ist meine ganze Seele, die ich dir vorlege. Sonst wollt ich lieber, ich hätte geschwiegen, wie ich denn über all das, wovon jedermann so wenig weiß als ich, nicht gern ein Wort verliere. Was ist's anders als Menschenschicksal, sein Maß auszuleiden, seinen Becher auszutrinken. – Und ward der Kelch dem Gott vom Himmel auf seiner Menschenlippe zu bitter[2], warum soll ich großtun und mich stellen, als schmeckte er mir süße. Und warum sollte ich mich schämen, in dem schröcklichen Augenblicke, da mein ganzes Wesen zwischen Sein und Nichtsein zittert, da die Vergangenheit wie ein Blitz über dem finstern Abgrunde der Zukunft leuchtet und alles um mich her versinkt und mit mir die Welt untergeht. – Ist es da nicht die Stimme der ganz in sich gedrängten, sich selbst ermangelnden und unaufhaltsam hinabstürzenden Kreatur, in den innern Tiefen ihrer vergebens aufarbeitenden Kräfte zu knirschen: Mein Gott! Mein Gott! Warum hast du mich verlassen?[3] Und sollt ich mich des Ausdrucks schämen, sollte mir's vor dem Augenblicke bange sein, da ihm der nicht entging, der die Himmel zusammenrollt wie ein Tuch.

*

am 21. Nov.

Sie sieht nicht, sie fühlt nicht, dass sie ein Gift bereitet, des mich und sie zugrunde richten wird. Und ich mit voller Wollust schlurfe den Becher aus, den sie mir zu meinem Verderben reicht. Was soll der gütige Blick, mit dem sie mich oft – oft? – nein nicht oft, aber doch manchmal ansieht, die Gefälligkeit, womit sie einen un-

---

1 vgl. Joh. 6,65
2 vgl. Matth. 26,39
3 Matth. 27, 46 wörtlich

willkürlichen Ausdruck meines Gefühls aufnimmt, das Mitleiden mit meiner Duldung[1], das sich auf ihrer Stirne zeichnet.
Gestern, als ich wegging, reichte sie mir die Hand und sagte: Adieu, lieber Werther! Lieber Werther! Es war das erste Mal, dass sie mich Lieber hieß, und mir ging's durch Mark und Bein. Ich hab mir's hundertmal wiederholt und gestern Nacht, da ich ins Bett gehen wollte, und mit mir selbst allerlei schwatzte, sag ich so auf einmal: Gute Nacht, lieber Werther! Und musste hernach selbst über mich lachen.

*

am 24. Nov.

Sie fühlt, was ich dulde. Heute ist mir ihr Blick tief durchs Herz gedrungen. Ich fand sie allein. Ich sagte nichts, und sie sah mich an. Und ich sah nicht mehr in ihr die liebliche Schönheit, nicht mehr das Leuchten des trefflichen Geistes; das war all vor meinen Augen verschwunden. Ein weit herrlicherer Blick würkte auf mich, voll Ausdruck des innigsten Anteils des süß'ten Mitleidens. Warum durft ich mich nicht ihr zu Füßen werfen! Warum durft ich nicht an ihrem Halse mit tausend Küssen antworten – Sie nahm ihre Zuflucht zum Klaviere und hauchte mit süßer, leiser Stimme harmonische Laute zu ihrem Spiele. Nie hab ich ihre Lippen so reizend gesehn, es war, als wenn sie sich lechzend öffneten, jene süße Töne in sich zu schlürfen, die aus dem Instrumente hervorquollen, und nur der heimliche Widerschall aus dem süßen Munde zurückklänge – Ja, wenn ich dir das so sagen könnte! Ich widerstund nicht länger, neigte mich und schwur: Nie will ich's wagen, einen Kuss euch einzudrücken, Lippen, auf denen die Geister des Himmels schweben – Und doch – ich will – Ha, siehst du, das steht wie eine Scheidewand vor meiner Seelen – diese Seligkeit – und da untergegangen, die Sünde abzubüßen – Sünde?

*

[1] Leiden

am 30. Nov.

Ich soll, ich soll nicht zu mir selbst kommen, wo ich hintrete, begegnet mir eine Erscheinung, die mich aus aller Fassung bringt. Heut! O Schicksal! O Menschheit!
Ich gehe an dem Wasser hin in der Mittagsstunde, ich hatte keine Lust zu essen. Alles war so öde, ein nasskalter Abendwind blies vom Berge und die grauen Regenwolken zogen das Tal hinein. Von ferne seh ich einen Menschen in einem grünen schlechten Rocke, der zwischen den Felsen herumkrabbelte und Kräuter zu suchen schien. Als ich näher zu ihm kam und er sich auf das Geräusch, das ich machte, herumdrehte, sah ich eine gar interessante Physiognomie, darin eine stille Trauer den Hauptzug machte, die aber sonst nichts als einen graden guten Sinn ausdrückte, seine schwarzen Haare waren mit Nadeln in zwei Rollen gesteckt und die übrigen in einen starken Zopf geflochten, der ihm den Rücken herunterhing. Da mir seine Kleidung einen Menschen von geringem Stande zu bezeichnen schien, glaubt ich, er würde es nicht übelnehmen, wenn ich auf seine Beschäftigung aufmerksam wäre, und daher fragte ich ihn, was er suchte. Ich suche, antwortete er mit einem tiefen Seufzer, Blumen – und finde keine. – Das ist auch die Jahrszeit nicht, sagt ich lächelnd. – Es gibt so viel Blumen, sagt er, indem er zu mir herunterkam. In meinem Garten sind Rosen und Jelängerjelieber[1] zweierlei Sorten, eine hat mir mein Vater gegeben, sie wachsen wie's Unkraut, ich suche schon zwei Tage darnach und kann sie nicht finden. Da haußen sind auch immer Blumen, gelbe und blaue und rote, und das Tausend-Güldenkraut[2] hat ein schön Blümchen. Keines kann ich finden. Ich merkte was Unheimliches und drum fragte ich durch einen Umweg: Was will Er denn mit den Blumen? Ein wunderbares zuckendes Lächeln verzog sein Gesicht. Wenn Er mich nicht verraten will, sagt er, indem

[1] volkstümlicher Name für verschiedene lang blühende Pflanzen, vor allem Geißblatt

[2] rot blühendes Enziangewächs

er den Finger auf den Mund drückte, ich habe meinem Schatze einen Strauß versprochen. Das ist brav, sagt ich. O, sagt er, sie hat viel andre Sachen, sie ist reich. Und doch hat sie seinen Strauß lieb, versetzt ich. O!, fuhr er fort, sie hat Juwelen und eine Krone. Wie heißt sie denn? – Wenn mich die Generalstaaten[1] bezahlen wollten!, versetzte er, ich wäre ein anderer Mensch! Ja, es war einmal eine Zeit, da mir's so wohl war. Jetzt ist's aus mit mir, ich bin nun – Ein nasser Blick zum Himmel drückte alles aus. Er war also glücklich?, fragte ich. Ach, ich wollt, ich wäre wieder so!, sagt er, da war mir's so wohl, so lustig, so leicht wie ein Fisch im Wasser! Heinrich!, rufte eine alte Frau, die den Weg herkam. Heinrich, wo steckst du? Wir haben dich überall gesucht. Komm zum Essen. Ist das Euer Sohn?, fragt ich zu ihr tretend. Wohl, mein armer Sohn, versetzte sie. Gott hat mir ein schweres Kreuz aufgelegt. Wie lang ist er so?, fragt ich. So stille, sagte sie, ist er nun ein halb Jahr. Gott sei Dank, dass es nur so weit ist. Vorher war er ein ganz Jahr rasend, da hat er an Ketten im Tollhause gelegen. Jetzt tut er niemand nichts, nur hat er immer mit Königen und Kaisern zu tun. Es war ein so guter stiller Mensch, der mich ernähren half, seine schöne Hand[2] schrieb, und auf einmal wird er tiefsinnig, fällt in ein hitzig Fieber, daraus in Raserei, und nun ist er, wie Sie ihn sehen. Wenn ich Ihm erzählen sollt, Herr – Ich unterbrach ihren Strom von Erzählungen mit der Frage: was denn das für eine Zeit wäre, von der er so rühmte, dass er so glücklich, so wohl darin gewesen wäre. Der törige Mensch, rief sie mit mitleidigem Lächeln, da meint er die Zeit, da er von sich war, das rühmt er immer! Das ist die Zeit, da er im Tollhause war, wo er nichts von sich wusste – Das fiel mir auf wie ein Donnerschlag, ich drückte ihr ein Stück Geld in die Hand und verließ sie eilend.

Da du glücklich warst!, rief ich aus, schnell vor mich hin nach der Stadt zu gehend. Da dir's wohl war wie einem

1 die Vereinigten Niederlande (galten wegen ihrer Kolonien als reich)
2 Handschrift

Fisch im Wasser! – Gott im Himmel! Hast du das zum Schicksal der Menschen gemacht, dass sie nicht glücklich sind, als eh sie zu ihrem Verstande kommen und wenn sie ihn wieder verlieren! Elender, und auch, wie beneid 5 ich deinen Trübsinn, die Verwirrung deiner Sinne, in der du verschmachtest! Du gehst hoffnungsvoll aus, deiner Königin Blumen zu pflücken – im Winter – und traurest, da du keine findest, und begreifst nicht, warum du keine finden kannst. Und ich – und ich gehe ohne Hoffnung, 10 ohne Zweck heraus, und kehr wieder heim, wie ich gekommen bin. – Du wähnst, welcher Mensch du sein würdest, wenn die Generalstaaten dich bezahlten. Seliges Geschöpf, das den Mangel seiner Glückseligkeit einer irdischen Hindernis zuschreiben kann. – Du fühlst nicht! 15 Du fühlst nicht, dass in deinem zerstörten Herzen, in deinem zerrütteten Gehirne dein Elend liegt, wovon alle Könige der Erde dir nicht helfen können.

Müsse der trostlos umkommen, der eines Kranken spottet, der nach der entferntesten Quelle reist, die seine 20 Krankheit vermehren, sein Ausleben schmerzhafter machen wird, der sich über das bedrängte Herz erhebt, das, um seine Gewissensbisse loszuwerden und die Leiden seiner Seele abzutun, seine Pilgrimschaft nach dem heiligen Grabe tut! Jeder Fußtritt, der seine Sohlen auf un- 25 gebahntem Wege durchschneidet, ist ein Lindrungstropfen der geängsteten Seele, und mit jeder ausgedauerten Tagreise legt sich das Herz um viel Bedrängnis leichter nieder. – Und dürft ihr das Wahn nennen – Ihr Wortkrämer auf euren Polstern – Wahn! – O Gott! Du siehst mei- 30 ne Tränen – Musstest du, der du den Menschen arm genug erschufst, ihm auch Brüder zugeben, die ihm das bisschen Armut, das bisschen Vertrauen noch raubten, das er auf dich hat, auf dich, du Allliebender, denn das Vertrauen zu einer heilenden Wurzel, zu den Tränen des 35 Weinstocks, was ist's als Vertrauen zu dir, dass du in alles, was uns umgibt, Heil- und Lindrungskraft gelegt hast, der wir so stündlich bedürfen. – Vater, den ich nicht kenne! Vater, der sonst meine ganze Seele füllte und nun sein Angesicht von mir gewendet hat! Rufe 40 mich zu dir! Schweige nicht länger! Dein Schweigen wird diese durstende Seele nicht aufhalten – Und würde ein Mensch, ein Vater zürnen können, dem sein unvermutet rückkehrender Sohn um den Hals fiele und rief: Ich bin wieder da, mein Vater. Zürne nicht, dass ich die Wanderschaft abbreche, die ich nach deinem Willen länger aushalten sollte. Die Welt ist überall einerlei, auf Müh und Arbeit, Lohn und Freude; aber was soll mir das? Mir ist nur wohl, wo du bist, und vor deinem Angesichte will ich leiden und genießen – Und du, lieber himmlischer Vater, solltest ihn von dir weisen?

*

am 1. Dez.

Wilhelm! Der Mensch, von dem ich dir schrieb, der glückliche Unglückliche, war Schreiber bei Lottens Vater, und eine unglückliche Leidenschaft zu ihr, die er nährte, verbarg, entdeckte und aus dem Dienst geschickt wurde, hat ihn rasend gemacht. Fühle, Kerl, bei diesen trocknen Worten, mit welchem Unsinne mich die Geschichte ergriffen hat, da mir sie Albert ebenso gelassen erzählte, als du's vielleicht liesest.

*

am 4. Dez.

Ich bitte dich – siehst du, mit mir ist's aus – Ich trag das all nicht länger. Heut saß ich bei ihr – saß, sie spielte auf ihrem Klavier, manchfaltige Melodien und all den Ausdruck! All! All! – Was willst du? – Ihr Schwesterchen putzte ihre Puppe auf meinem Knie. Mir kamen die Tränen in die Augen. Ich neigte mich, und ihr Trauring fiel mir ins Gesicht – Meine Tränen flossen – Und auf einmal fiel sie in die alte himmelsüße Melodie[1] ein, so auf einmal, und mir durch die Seele gehn ein Trostgefühl und eine Erinnerung all des Vergangenen, all der Zeiten, da ich das Lied gehört, all der düstern Zwischenräume des Verdrusses, der fehlgeschlagenen Hoffnungen, und dann – Ich ging in der Stube auf und nieder, mein Herz erstickte unter all dem. Um Gottes Willen, sagt' ich mit einem heftigen Ausbruch hin gegen sie fahrend, um

[1] s. Brief vom 16. Juli 1771

Gottes Willen, hören Sie auf. Sie hielt, und sah mich starr an. Werther, sagte sie, mit einem Lächlen, das mir durch die Seele ging, Werther, Sie sind sehr krank, Ihre Lieblingsgerichte widerstehen Ihnen. Gehen Sie! Ich bitte Sie, beruhigen Sie sich. Ich riss mich von ihr weg, und – Gott! Du siehst mein Elend und wirst es enden.

*

am 6. Dez.

Wie mich die Gestalt verfolgt. Wachend und träumend füllt sie meine ganze Seele. Hier, wenn ich die Augen schließe, hier in meiner Stirne, wo die innere Sehkraft sich vereinigt, stehen ihre schwarzen Augen. Hier! Ich kann dir's nicht ausdrücken. Mach ich meine Augen zu, so sind sie da, wie ein Meer, wie ein Abgrund ruhen sie vor mir, in mir, füllen die Sinnen meiner Stirne.
Was ist der Mensch? Der gepriesene Halbgott! Ermangeln ihm nicht da eben die Kräfte, wo er sie am nötigsten braucht? Und wenn er in Freude sich aufschwingt oder im Leiden versinkt, wird er nicht in beiden eben da aufgehalten, eben da wieder zu dem stumpfen kalten Bewusstsein zurückgebracht, da er sich in der Fülle des Unendlichen zu verlieren sehnte.

*

am 8. Dez.

Lieber Wilhelm, ich bin in einem Zustande, in dem jene Unglücklichen müssen gewesen sein, von denen man glaubte, sie würden von einem bösen Geiste umhergetrieben. Manchmal ergreift mich's, es ist nicht Angst, nicht Begier! Es ist ein inneres unbekanntes Toben, das meine Brust zu zerreißen droht, das mir die Gurgel zupresst! Wehe! Wehe! Und dann schweif ich umher in den furchtbaren nächtlichen Szenen dieser menschenfeindlichen Jahrszeit.
Gestern Nacht musst ich hinaus. Ich hatte noch abends gehört, der Fluss sei übergetreten und die Bäche all und von Wahlheim herunter all mein liebes Tal überschwemmt. Nachts nach eilf rannt ich hinaus. Ein fürchterliches Schauspiel. Vom Fels herunter die wühlenden Fluten in dem Mondlichte wirbeln zu sehn, über Äcker

und Wiesen und Hecken und alles, und das weite Tal hinauf und hinab eine stürmende See im Sausen des Windes. Und wenn denn der Mond wieder hervortrat und über der schwarzen Wolke ruhte und von mir hinaus die Flut in fürchterlich herrlichem Widerschein rollte und klang, da überfiel mich ein Schauer und wieder ein Sehnen! Ach! Mit offenen Armen stand ich gegen den Abgrund und atmete hinab! Hinab und verlor mich in der Wonne, all meine Qualen, all mein Leiden da hinabzustürmen, dahinzubrausen wie die Wellen. Oh! Und den Fuß vom Boden zu heben vermochtest du nicht und alle Qualen zu enden! – Meine Uhr ist noch nicht ausgelaufen – ich fühl's! O Wilhelm, wie gern hätt ich all mein Menschsein drum gegeben, mit jenem Sturmwinde die Wolken zu zerreißen, die Fluten zu fassen. Ha! Und wird nicht vielleicht dem Eingekerkerten einmal diese Wonne zuteil! –
Und wie ich wehmütig hinabsah auf ein Plätzchen, wo ich mit Lotten unter einer Weide geruht, auf einem heißen Spaziergange, das war auch überschwemmt, und kaum dass ich die Weide erkannte! Wilhelm! Und ihre Wiesen, dacht ich, und all die Gegend um ihr Jagdhaus, wie jetzt vom reißenden Strome verstört unsere Lauben, dacht ich. Und der Vergangenheit Sonnenstrahl blickte herein – wie einem Gefangenen ein Traum von Herden, Wiesen und Ährenfeldern. Ich stand! – Ich schelte mich nicht, denn ich habe Mut zu sterben – Ich hätte – Nun sitz ich hier wie ein altes Weib, das ihr Holz an Zäunen stoppelt[1] und ihr Brot an den Türen, um ihr hinsterbendes freudloses Dasein noch einen Augenblick zu verlängern und zu erleichtern.

*

am 17. Dez.

Was ist das, mein Lieber? Ich erschrecke vor mir selbst! Ist nicht meine Liebe zu ihr die heiligste, reinste, brüderlichste Liebe? Hab ich jemals einen strafbaren Wunsch in meiner Seele gefühlt – ich will nicht beteuren – und

---

[1] mühsam sammelt

nun – Träume! O wie wahr fühlten die Menschen, die so widersprechende Würkungen fremden Mächten zuschrieben. Diese Nacht! Ich zittere, es zu sagen, hielt ich sie in meinen Armen, fest an meinen Busen gedrückt und deckte ihren lieben lispelnden Mund mit unendlichen Küssen. Mein Auge schwamm in der Trunkenheit des ihrigen. Gott! Bin ich strafbar, dass ich auch jetzt noch eine Seligkeit fühle, mir diese glühende Freuden mit voller Innigkeit zurückzurufen, Lotte! Lotte! – Und mit mir ist's aus! Meine Sinnen verwirren sich. Schon acht Tage hab ich keine Besinnungskraft, meine Augen sind voll Tränen. Ich bin nirgends wohl und überall wohl. Ich wünsche nichts, verlange nichts. Mir wär's besser, ich ginge.

Der Herausgeber an den Leser.

Die ausführliche Geschichte der letzten merkwürdigen Tage unsers Freundes zu liefern, seh ich mich genötiget seine Briefe durch Erzählung zu unterbrechen, wozu ich den Stoff aus dem Munde Lottens, Albertens, seines Bedienten und anderer Zeugen gesammlet habe.
Werthers Leidenschaft hatte den Frieden zwischen Alberten und seiner Frau allmählich untergraben, dieser liebte sie mit der ruhigen Treue eines rechtschaffnen Manns, und der freundliche Umgang mit ihr subordinierte[1] sich nach und nach seinen Geschäften. Zwar wollte er sich nicht den Unterschied gestehen, der die gegenwärtige Zeit den Bräutigams-Tagen so ungleich machte: Doch fühlte er innerlich einen gewissen Widerwillen gegen Werthers Aufmerksamkeiten für Lotten, die ihm zugleich ein Eingriff in seine Rechte und ein stiller Vorwurf zu sein scheinen mussten. Dadurch ward der üble Humor vermehrt, den ihm seine überhäuften, gehinderten, schlecht belohnten Geschäfte manchmal gaben, und da denn Werthers Lage auch ihn zum traurigen Gesellschafter machte, indem die Beängstigung seines Herzens, die übrigen Kräfte seines Geistes, seine

---

1 ordnete sich unter

Lebhaftigkeit, seinen Scharfsinn aufgezehrt hatte, so konnte es nicht fehlen, dass Lotte zuletzt selbst mit angesteckt wurde und in eine Art von Schwermut verfiel, in der Albert eine wachsende Leidenschaft für ihren Liebhaber und Werther einen tiefen Verdruss über das veränderte Betragen ihres Mannes zu entdecken glaubte. Das Misstrauen, womit die beiden Freunde einander ansahen, machte ihnen ihre wechselseitige Gegenwart höchst beschwerlich. Albert mied das Zimmer seiner Frau, wenn Werther bei ihr war, und dieser, der es merkte, ergriff nach einigen fruchtlosen Versuchen, ganz von ihr zu lassen, die Gelegenheit, sie in solchen Stunden zu sehen, da ihr Mann von seinen Geschäften gehalten wurde. Daraus entstund neue Unzufriedenheit, die Gemüter verhetzten sich immer mehr gegeneinander, bis zuletzt Albert seiner Frau mit ziemlich trocknen Worten sagte: Sie möchte, wenigstens um der Leute willen, dem Umgange mit Werthern eine andere Wendung geben und seine allzu öfteren Besuche abschneiden.
Ohngefähr um diese Zeit hatte sich der Entschluss, diese Welt zu verlassen, in der Seele des armen Jungen näher bestimmt. Es war von jeher seine Lieblingsidee gewesen, mit der er sich, besonders seit der Rückkehr zu Lotten, immer getragen.
Doch sollte es keine übereilte, keine rasche Tat sein, er wollte mit der besten Überzeugung, mit der möglichsten ruhigen Entschlossenheit diesen Schritt tun.
Seine Zweifel, sein Streit mit sich selbst, blicken aus einem Zettelchen hervor, das wahrscheinlich ein angefangener Brief an Wilhelmen ist und ohne Datum unter seinen Papieren gefunden worden.

*

Ihre Gegenwart, ihr Schicksal, ihr Teilnehmen an dem meinigen, presst noch die letzten Tränen aus meinem versengten Gehirn.
Den Vorhang aufzuheben und dahinter zu treten, das ist's all! Und warum das Zaudern und Zagen? – Weil man nicht weiß, wie's dahinten aussieht? – Und man nicht zurückkehrt? – Und dass das nun die Eigenschaft

unseres Geistes ist, da Verwirrung und Finsternis zu ahnden, wovon wir nichts Bestimmtes wissen.

Den Verdruss, den er bei der Gesandtschaft gehabt, konnte er nicht vergessen. Er erwähnte dessen selten, 5 doch wenn es auch auf die entfernteste Weise geschah, so konnte man fühlen, dass er seine Ehre dadurch unwiederbringlich gekränkt hielte und dass ihm dieser Vorfall eine Abneigung gegen alle Geschäfte und politische[1] Wirksamkeit[2] gegeben hatte. Daher überließ er 10 sich ganz der wunderbaren Empfind- und Denkensart, die wir aus seinen Briefen kennen, und einer endlosen Leidenschaft, worüber noch endlich alles, was tätige Kraft an ihm war, verlöschen musste. Das ewige Einerlei eines traurigen Umgangs mit dem liebenswürdigen und 15 geliebten Geschöpfe, dessen Ruhe er störte, das stürmende Abarbeiten seiner Kräfte, ohne Zweck und Aussicht, drängten ihn endlich zu der schröcklichen Tat.

*

am 20. Dez.

Ich danke deiner Liebe, Wilhelm, dass du das Wort so 20 aufgefangen hast. Ja, du hast Recht: Mir wäre besser, ich ginge. Der Vorschlag, den du zu einer Rückkehr zu euch tust, gefällt mir nicht ganz, wenigstens möcht ich noch gern einen Umweg machen, besonders da wir anhaltenden Frost und gute Wege zu hoffen haben. Auch ist 25 mir's sehr lieb, dass du kommen willst, mich abzuholen, verzieh[3] nur noch vierzehn Tage und erwarte noch einen Brief von mir mit dem Weitern. Es ist nötig, dass nichts gepflückt werde, eh es reif ist. Und vierzehn Tage auf oder ab tun viel. Meiner Mutter sollst du sagen: dass sie 30 für ihren Sohn beten soll und dass ich sie um Vergebung bitte wegen all des Verdrusses, den ich ihr gemacht habe. Das war nun mein Schicksal, die zu betrügen, denen

---

1 diplomatische
2 Betätigung, Berufstätigkeit
3 warte

ich Freude schuldig war. Leb wohl, mein Teuerster. Allen Segen des Himmels über dich! Leb wohl!

*

An ebendem Tage, es war der Sonntag vor Weihnachten, kam er abends zu Lotten und fand sie allein. Sie beschäftigte sich, einige Spielwerke[1] in Ordnung zu bringen, die sie ihren kleinen Geschwistern zum Christgeschenke zurechtgemacht hatte. Er redete von dem Vergnügen, das die Kleinen haben würden, und von den Zeiten, da einen die unerwartete Öffnung der Türe und die Erscheinung eines aufgeputzten Baums mit Wachslichtern, Zuckerwerk und Äpfeln in paradiesische Entzückung setzte. Sie sollen, sagte Lotte, indem sie ihre Verlegenheit unter ein liebes Lächeln verbarg: Sie sollen auch beschert kriegen, wenn Sie recht geschickt[2] sind, ein Wachsstöckchen[3] und noch was. Und was heißen Sie geschickt sein?, rief er aus, wie soll ich sein, wie kann ich sein, beste Lotte? Donnerstagabend, sagte sie, ist Weihnachtsabend, da kommen die Kinder, mein Vater auch, da kriegt jeder das Seinige, da kommen Sie auch – aber nicht eher. – Werther seufzte! – Ich bitte Sie, fuhr sie fort, es ist nun einmal so, ich bitte Sie um meiner Ruhe willen, es kann nicht, es kann nicht so bleiben! – Er wendete seine Augen von ihr, ging in der Stube auf und ab und murmelte das: Es kann nicht so bleiben! zwischen den Zähnen. Lotte, die den schröcklichen Zustand fühlte, worin ihn diese Worte versetzt hatten, suchte durch allerlei Fragen seine Gedanken abzulenken, aber vergebens: Nein, Lotte, rief er aus, ich werde Sie nicht wiedersehn! – Warum das?, versetzte sie, Werther, Sie können, Sie müssen uns wiedersehen, nur mäßigen Sie sich. O! warum mussten Sie mit dieser Heftigkeit, dieser unbezwinglich haftenden Leidenschaft für alles, das Sie einmal anfassen, geboren werden. Ich bitte Sie, fuhr sie fort, indem sie ihn bei der Hand nahm, mäßigen Sie sich, Ihr Geist, Ihre Wissenschaft, Ihre Talente, was bieten die Ihnen für man-

1 Spielzeuge
2 wie es sich schickt, gehört
3 Wachslicht

nigfaltige Ergötzungen dar! Sein Sie ein Mann, wenden Sie diese traurige Anhänglichkeit von einem Geschöpfe, das nichts tun kann, als Sie bedauren. – Er knirrte mit den Zähnen und sah sie düster an. Sie hielt seine Hand: Nur einen Augenblick ruhigen Sinn, Werther, sagte sie. Fühlen Sie nicht, dass Sie sich betrügen, sich mit Willen zugrunde richten? Warum denn mich! Werther! Just mich! Das Eigentum eines andern. Just das! Ich fürchte, ich fürchte, es ist nur die Unmöglichkeit, mich zu besitzen, die Ihnen diesen Wunsch so reizend macht. Er zog seine Hand aus der ihrigen, indem er sie mit einem starren unwilligen Blicke ansah. Weise!, rief er, sehr weise! Hat vielleicht Albert diese Anmerkung gemacht? Politisch[1]! Sehr politisch! – Es kann sie jeder machen, versetzte sie drauf. Und sollte denn in der weiten Welt kein Mädchen sein, das die Wünsche Ihres Herzens erfüllte. Gewinnen Sie's über sich, suchen Sie darnach, und ich schwöre Ihnen, Sie werden sie finden. Denn schon lange ängstet mich für Sie und uns die Einschränkung, in die Sie sich diese Zeit her selbst gebannt haben. Gewinnen Sie's über sich! Eine Reise wird Sie, muss Sie zerstreuen! Suchen Sie, finden Sie einen werten Gegenstand all Ihrer Liebe, und kehren Sie zurück, und lassen Sie uns zusammen die Seligkeit einer wahren Freundschaft genießen.

Das könnte man, sagte er mit einem kalten Lachen, drucken lassen und allen Hofmeistern empfehlen. Liebe Lotte, lassen Sie mir noch ein klein wenig Ruh, es wird alles werden. – Nur das, Werther!, dass Sie nicht eher kommen als Weihnachtsabend! – Er wollte antworten, und Albert trat in die Stube. Man bot sich einen frostigen guten Abend und ging verlegen im Zimmer nebeneinander auf und nieder. Werther fing einen unbedeutenden Diskurs an, der bald aus war, Albert desgleichen, der sodann seine Frau nach einigen Aufträgen fragte, und als er hörte, sie seien noch nicht ausgerichtet, ihr spitze Reden gab, die Werthern durchs Herz gingen. Er wollte gehn, er konnte nicht und zauderte bis

[1] hier in der alten Bedeutung: weltklug, praktisch, schlau

acht, da sich denn der Unmut und Unwillen aneinander immer vermehrte, bis der Tisch gedeckt wurde und er Hut und Stock nahm, da ihm denn Albert ein unbedeutend Kompliment, ob er nicht mit ihnen vorliebnehmen wollte, mit auf den Weg gab. 5
Er kam nach Hause, nahm seinem Burschen, der ihm leuchten wollte, das Licht aus der Hand und ging allein in sein Zimmer, weinte laut, redete aufgebracht mit sich selbst, ging heftig die Stube auf und ab und warf sich endlich in seinen Kleidern aufs Bette, wo ihn der Be- 10 diente fand, der es gegen eilf wagte, hineinzugehn, um zu fragen, ob er dem Herrn die Stiefel ausziehen sollte, das er denn zuließ und dem Diener verbot, des andern Morgens nicht ins Zimmer zu kommen, bis er ihm rufte.

Montags früh, den einundzwanzigsten Dezember, 15 schrieb er folgenden Brief an Lotten, den man nach seinem Tode versiegelt auf seinem Schreibtische gefunden und ihr überbracht hat und den ich absatzweise hier einrücken will, so wie aus den Umständen erhellet, dass er ihn geschrieben habe. 20

*

Es ist beschlossen, Lotte, ich will sterben, und das schreib ich dir ohne romantische Überspannung gelassen, an dem Morgen des Tags, an dem ich dich zum letzten Mal sehn werde. Wenn du dieses liesest, meine Beste, deckt schon das kühle Grab die erstarrten Reste des 25 Unruhigen, Unglücklichen, der für die letzten Augenblicke seines Lebens keine größere Süßigkeit weiß, als sich mit dir zu unterhalten. Ich habe eine schröckliche Nacht gehabt, und ach, eine wohltätige Nacht, sie ist's, die meinen wankenden Entschluss befestiget, bestimmt 30 hat: Ich will sterben. Wie ich mich gestern von dir riss, in der fürchterlichen Empörung meiner Sinnen, wie sich all all das nach meinem Herzen drängte, und mein hoffnungsloses, freudloses Dasein neben dir, in grässlicher Kälte mich anpackte; ich erreichte kaum mein Zimmer, 35 ich warf mich außer mir auf meine Knie, und o Gott! du

gewährtest mir das letzte Labsal der bittersten Tränen, und tausend Anschläge, tausend Aussichten wüteten durch meine Seele, und zuletzt stand er da, fest ganz der letzte einzige Gedanke: Ich will sterben! – Ich legte mich
5 nieder und morgens, in all der Ruh des Erwachens, steht er noch fest, noch ganz stark in meinem Herzen: Ich will sterben! – Es ist nicht Verzweiflung, es ist Gewissheit, dass ich ausgetragen[1] habe und dass ich mich opfere für dich, ja Lotte, warum sollt ich's verschweigen: Eins von
10 uns dreien muss hinweg, und das will ich sein. O meine Beste, in diesem zerrissenen Herzen ist es wütend herumgeschlichen, oft – deinen Mann zu ermorden! – dich! – mich! – So sei's denn! – Wenn du hinaufsteigst auf den Berg, an einem schönen Sommerabende, dann
15 erinnere dich meiner, wie ich so oft das Tal heraufkam, und dann blicke nach dem Kirchhofe hinüber nach meinem Grabe, wie der Wind das hohe Gras im Schein der sinkenden Sonne hin- und herwiegt. – Ich war ruhig, da ich anfing, und nun wein ich wie ein Kind, da
20 mir all das so lebhaft um mich wird. –

*

Gegen zehn Uhr rufte Werther seinem Bedienten, und unter dem Anziehen sagte er ihm: Wie er in einigen Tagen verreisen würde, er solle daher die Kleider auskehren[2] und alles zum Einpacken zurechte machen, auch
25 gab er ihm Befehl, überall Kontis[3] zu fordern, einige ausgeliehene Bücher abzuholen und einigen Armen, denen er wöchentlich etwas zu geben gewohnt war, ihr Zugeteiltes auf zwei Monate voraus zu bezahlen.
Er ließ sich das Essen auf die Stube bringen, und nach
30 Tische ritt er hinaus zum Amtmanne, den er nicht zu Hause antraf. Er ging tiefsinnig im Garten auf und ab und schien noch zuletzt alle Schwermut der Erinnerung auf sich häufen zu wollen.

---

1 ausgelitten
2 ausbürsten
3 Abrechnungen

Die Kleinen ließen ihn nicht lange in Ruhe, sie verfolgten ihn, sprangen an ihn hinauf, erzählten ihm, dass, wenn morgen und wieder morgen und noch ein Tag wäre, dass sie die Christgeschenke bei Lotten holten, und erzählten ihm Wunder, die sich ihre kleine Einbildungskraft versprach. Morgen!, rief er aus, und wieder morgen, und noch ein Tag! Und küsste sie alle herzlich und wollte sie verlassen, als ihm der Kleine noch was ins Ohr sagen wollte. Der verriet ihm, dass die großen Brüder hätten schöne Neujahrswünsche geschrieben, so groß, und einen für den Papa, für Albert und Lotte einen, und auch einen für Herrn Werther. Die wollten sie des Neujahrstags früh überreichen.
Das übermannte ihn, er schenkte jedem was, setzte sich zu Pferde, ließ den Alten grüßen und ritt mit Tränen in den Augen davon.
Gegen fünfe kam er nach Hause, befahl der Magd nach dem Feuer zu sehen und es bis in die Nacht zu unterhalten. Dem Bedienten hieß er Bücher und Wäsche unten in den Koffer packen und die Kleider einnähen[1]. Darauf schrieb er wahrscheinlich folgenden Absatz seines letzten Briefes an Lotten.

*

Du erwartest mich nicht. Du glaubst, ich würde gehorchen und erst Weihnachtsabend dich wiedersehn. O Lotte! Heut oder nie mehr. Weihnachtsabend hältst du dieses Papier in deiner Hand, zitterst und benetzt es mit deinen lieben Tränen. Ich will, ich muss! O wie wohl ist mir's, dass ich entschlossen bin.

*

Um halb sieben ging er nach Albertens Hause und fand Lotten allein, die über seinen Besuch sehr erschrocken war. Sie hatte ihrem Manne im Diskurs gesagt, dass Werther vor Weihnachtsabend nicht wiederkommen würde. Er ließ bald darauf sein Pferd satteln, nahm von

[1] die Kleider für die Reise in Tücher einnähen

ihr Abschied und sagte, er wolle zu einem Beamten in der Nachbarschaft reiten, mit dem er Geschäfte abzutun habe, und so machte er sich trutz der übeln Witterung fort. Lotte, die wohl wusste, dass er dieses Geschäft schon lange verschoben hatte, dass es ihn eine Nacht von Hause halten würde, verstund die Pantomime[1] nur allzu wohl und ward herzlich betrübt darüber. Sie saß in ihrer Einsamkeit, ihr Herz ward weich, sie sah das Vergangene, fühlte all ihren Wert und ihre Liebe zu ihrem Manne, der nun statt des versprochenen Glücks anfing, das Elend ihres Lebens zu machen. Ihre Gedanken fielen auf Werthern. Sie schalt ihn und konnte ihn nicht hassen. Ein geheimer Zug hatte ihr ihn vom Anfange ihrer Bekanntschaft teuer gemacht, und nun, nach so viel Zeit, nach so manchen durchlebten Situationen, musste sein Eindruck unauslöschlich in ihrem Herzen sein. Ihr gepresstes Herz machte sich endlich in Tränen Luft und ging in eine stille Melancholie über, in der sie sich je länger, je tiefer verlor. Aber wie schlug ihr Herz, als sie Werthern die Treppe heraufkommen und außen nach ihr fragen hörte. Es war zu spät, sich verleugnen zu lassen, und sie konnte sich nur halb von ihrer Verwirrung ermannen, als er ins Zimmer trat. Sie haben nicht Wort gehalten, rief sie ihm entgegen. Ich habe nichts versprochen, war seine Antwort. So hätten Sie mir wenigstens meine Bitte gewähren sollen, sagte sie, es war Bitte um unserer beider Ruhe willen. Indem sie das sprach, hatte sie bei sich überlegt, einige ihrer Freundinnen zu sich rufen zu lassen. Sie sollten Zeugen ihrer Unterredung mit Werthern sein, und abends, weil er sie nach Hause führen musste, ward sie ihn zur rechten Zeit los. Er hatte ihr einige Bücher zurückgebracht, sie fragte nach einigen andern und suchte das Gespräch in Erwartung ihrer Freundinnen allgemein zu erhalten, als das Mädchen zurückkam und ihr hinterbrachte, wie sie sich beide entschuldigen ließen, die eine habe unangenehmen Verwandtenbesuch und die andere möchte sich nicht anziehen und in dem schmutzigen Wetter nicht gerne ausgehen.

---

1 das stumme Gebärden- und Mienenspiel

Darüber ward sie einige Minuten nachdenkend, bis das Gefühl ihrer Unschuld sich mit einigem Stolz empörte. Sie bot Albertens Grillen Trutz und die Reinheit ihres Herzens gab ihr eine Festigkeit, dass sie nicht, wie sie anfangs vorhatte, ihr Mädchen in die Stube rief, sondern, nachdem sie einige Menuetts auf dem Klavier gespielt hatte, um sich zu erholen und die Verwirrung ihres Herzens zu stillen, sich gelassen zu Werthern aufs Kanapee[1] setzte. Haben Sie nichts zu lesen, sagte sie. Er hatte nichts. Da drinne in meiner Schublade, fing sie an, liegt Ihre Übersetzung einiger Gesänge Ossians, ich habe sie noch nicht gelesen, denn ich hoffte immer, sie von Ihnen zu hören, aber zeither sind Sie zu nichts mehr tauglich. Er lächelte, holte die Lieder, ein Schauer überfiel ihn, als er sie in die Hand nahm, und die Augen stunden ihm voll Tränen, als er hineinsah, er setzte sich nieder und las[2]:

Stern der dämmernden Nacht, schön funkelst du in Westen. Hebst dein strahlend Haupt aus deiner Wolke. Wandelst stattlich deinen Hügel hin. Wonach blickst du auf die Heide? Die stürmenden Winde haben sich gelegt. Von ferne kommt des Giesbachs Murmeln. Rauschende Wellen spielen am Felsen ferne. Das Gesumme der Abendfliegen schwärmet übers Feld. Wonach siehst du, schönes Licht? Aber du lächelst und gehst, freudig umgeben dich die Wellen und baden dein liebliches Haar. Lebe wohl, ruhiger Strahl. Erscheine, du herrliches Licht von Ossians Seele.

Und es erscheint in seiner Kraft. Ich sehe meine geschiedenen Freunde, sie sammeln sich auf Lora, wie in den Tagen, die vorüber sind. – Fingal kommt wie eine feuch-

---

1 Sofa

2 den Anfang aus Ossians „The Songs of Selma". „Grundgedanke der nachfolgenden Gesänge ist, dass die Toten des preisenden Liedes bedürfen, um darin fortzuleben. So kommt es in der Totenklage Ossians bei spärlich angedeuteten und verschachtelten Handlungsteilen zur Häufung der Namen von Helden und Sängern." (Kurt Rothmann: Erläuterungen und Dokumente. Johann Wolfgang Goethe. Die Leiden des jungen Werthers. Stuttgart: Philipp Reclam jun., revidierte Ausgabe 1987, S. 61)

te Nebelsäule; um ihn sind seine Helden. Und sieh die Barden des Gesangs! Grauer Ullin! Stattlicher Ryno! Alpin, lieblicher Sänger! Und du, sanft klagende Minona! – Wie verändert seid ihr, meine Freunde, seit den festlichen Tagen auf Selma! Da wir buhlten[1] um die Ehre des Gesangs, wie Frühlingslüfte den Hügel hin wechselnd beugen das schwach lispelnde Gras.
Da trat Minona hervor in ihrer Schönheit, mit niedergeschlagenem Blick und tränenvollem Auge. Ihr Haar floss schwer im unsteten Winde, der von dem Hügel herstieß. – Düster ward's in der Seele der Helden, als sie die liebliche Stimme erhub; denn oft hatten sie das Grab Salgars gesehen, oft die finstere Wohnung der weißen Colma. Colma verlassen auf dem Hügel, mit all der harmonischen Stimme. Salgar versprach zu kommen; aber ringsum zog sich die Nacht. Höret Colmas Stimme, da sie auf dem Hügel allein saß.

Colma.

Es ist Nacht! – ich bin allein, verloren auf dem stürmischen Hügel. Der Wind saust im Gebürg, der Strom heult den Felsen hinab. Keine Hütte schützt mich vor dem Regen, verlassen auf dem stürmischen Hügel.
Tritt, o Mond, aus deinen Wolken; erscheinet, Sterne der Nacht! Leite mich irgendein Strahl zu dem Orte, wo meine Liebe ruht von den Beschwerden der Jagd, sein Bogen neben ihm abgespannt, seine Hunde schnobend[2] um ihn! Aber hier muss ich sitzen allein auf dem Felsen des verwachsenen[3] Stroms. Der Strom und der Sturm saust, ich höre nicht die Stimme meines Geliebten.
Warum zaudert mein Salgar? Hat er sein Wort vergessen? – Da ist der Fels und der Baum und hier der rauschende Strom. Mit der Nacht versprachst du hier zu sein. Ach! Wohin hat sich mein Salgar verirrt? Mit dir wollt ich fliehen, verlassen Vater und Bruder! Die Stol-

---

[1] wetteiferten
[2] schnuppernd
[3] des von Pflanzen zugewachsenen

zen! Lange sind unsere Geschlechter Feinde, aber wir sind keine Feinde, o Salgar.
Schweig eine Weile, o Wind, still eine kleine Weile, o Strom, dass meine Stimme klinge durch's Tal, dass mein Wandrer mich höre. Salgar! Ich bin's, die ruft. Hier ist der Baum und der Fels. Salgar, mein Lieber, hier bin ich. Warum zauderst du zu kommen?
Sieh, der Mond erscheint. Die Flut glänzt im Tale. Die Felsen stehn grau den Hügel hinauf. Aber ich seh ihn nicht auf der Höhe. Seine Hunde vor ihm her verkündigen nicht seine Ankunft. Hier muss ich sitzen allein.
Aber wer sind die dort unten liegen auf der Heide – Mein Geliebter? Mein Bruder? – Redet, o meine Freunde! Sie antworten nicht. Wie geängstet ist meine Seele – Ach sie sind tot! – Ihre Schwerte rot vom Gefecht. O mein Bruder, mein Bruder, warum hast du meinen Salgar erschlagen? O mein Salgar, warum hast du meinen Bruder erschlagen? – Ihr wart mir beide so lieb! O du warst schön an dem Hügel unter Tausenden; er war schröcklich in der Schlacht. Antwortet mir! Hört meine Stimme, meine Geliebten. Aber ach, sie sind stumm. Stumm vor ewig. Kalt wie die Erde ist ihr Busen.
O von dem Felsen des Hügels, von dem Gipfel des stürmenden Berges, redet, Geister der Toten! Redet! Mir soll es nicht grausen! – Wohin seid ihr zur Ruhe gegangen? In welcher Gruft des Gebürges soll ich euch finden! – Keine schwache Stimme vernehm ich im Wind, keine wehende Antwort im Sturme des Hügels.
Ich sitze in meinem Jammer, ich harre auf den Morgen in meinen Tränen. Wühlet das Grab, ihr Freunde der Toten, aber schließt es nicht, bis ich komme. Mein Leben schwindet wie ein Traum, wie sollt ich zurückbleiben. Hier will ich wohnen mit meinen Freunden an dem Strome des klingenden Felsen – Wenn's Nacht wird auf dem Hügel, und der Wind kommt über die Heide, soll mein Geist im Winde stehn und trauren den Tod meiner Freunde. Der Jäger hört mich aus seiner Laube, fürchtet meine Stimme und liebt sie, denn süß soll meine Stimme sein um meine Freunde, sie waren mir beide so lieb.
Das war dein Gesang, o Minona, Tormans sanfte errö-

tende Tochter. Unsere Tränen flossen um Colma, und unsere Seele ward düster – Ullin trat auf mit der Harfe und gab uns Alpins Gesang – Alpins Stimme war freundlich, Rynos Seele ein Feuerstrahl. Aber schon ruhten sie im engen Hause, und ihre Stimme war verhallet in Selma – Einst kehrt Ullin von der Jagd zurück, eh noch die Helden fielen, er hörte ihren Wettegesang auf dem Hügel, ihr Lied war sanft, aber traurig, sie klagten Morars Fall, des ersten der Helden. Seine Seele war wie Fingals Seele; sein Schwert wie das Schwert Oskars – Aber er fiel und sein Vater jammerte und seiner Schwester Augen waren voll Tränen – Minonas Augen waren voll Tränen, der Schwester des herrlichen Morars. Sie trat zurück vor Ullins Gesang, wie der Mond in Westen, der den Sturmregen voraussieht und sein schönes Haupt in eine Wolke verbirgt. – Ich schlug die Harfe mit Ullin zum Gesange des Jammers.

Ryno.

Vorbei sind Wind und Regen, der Mittag ist so heiter, die Wolken teilen sich. Fliehend bescheint den Hügel die unbeständ'ge Sonne. So rötlich fließt der Strom des Bergs im Tale hin. Süß ist dein Murmeln, Strom, doch süßer die Stimme, die ich höre. Es ist Alpins Stimme, er bejammert den Toten. Sein Haupt ist vor Alter gebeugt, und rot sein tränendes Auge. Alpin, trefflicher Sänger, warum allein auf dem schweigenden Hügel, warum jammerst du wie ein Windstoß im Wald, wie eine Welle am fernen Gestade.

Alpin.

Meine Tränen, Ryno, sind für den Toten, meine Stimme für die Bewohner des Grabs. Schlank bist du auf dem Hügel, schön unter den Söhnen der Heide. Aber du wirst fallen wie Morar, und wird der Traurende sitzen auf deinem Grabe. Die Hügel werden dich vergessen, dein Bogen in der Halle liegen ungespannt.

Du warst schnell, o Morar, wie ein Reh auf dem Hügel, schrecklich wie die Nachtfeuer am Himmel, dein Grimm war ein Sturm. Dein Schwert in der Schlacht wie Wetterleuchten über der Heide. Deine Stimme glich dem Wald-

strome nach dem Regen, dem Donner auf fernen Hügeln. Manche fielen von deinem Arm, die Flamme deines Grimms verzehrte sie. Aber wenn du kehrtest vom Kriege, wie friedlich war deine Stirne! Dein Angesicht war gleich der Sonne nach dem Gewitter, gleich dem Monde in der schweigenden Nacht. Ruhig deine Brust wie der See, wenn sich das Brausen des Windes gelegt hat.
Eng ist nun deine Wohnung, finster deine Stätte. Mit drei Schritten mess ich dein Grab, o du, der du ehe so groß warst! Vier Steine mit moosigen Häuptern sind dein einzig Gedächtnis. Ein entblätterter Baum, lang Gras, das wispelt im Winde, deutet dem Auge des Jägers das Grab des mächtigen Morars. Keine Mutter hast du, dich zu beweinen, kein Mädchen mit Tränen der Liebe. Tot ist, die dich gebar. Gefallen die Tochter von Morglan.
Wer auf seinem Stabe ist das? Wer ist's, dessen Haupt weiß ist vor Alter, dessen Augen rot sind von Tränen? – Er ist dein Vater, o Morar! Der Vater keines Sohns außer dir! Er hörte von deinem Rufe in der Schlacht; er hörte von zerstobenen Feinden. Er hörte Morars Ruhm! Ach nichts von seiner Wunde? Weine, Vater Morars! Weine! Aber dein Sohn hört dich nicht. Tief ist der Schlaf der Toten, niedrig ihr Küssen von Staub. Nimmer achtet er auf die Stimme, nie erwacht er auf deinen Ruf. O wann wird es Morgen im Grabe? Zu bieten dem Schlummerer: Erwache!
Lebe wohl, edelster der Menschen, du Eroberer im Felde! Aber nimmer wird dich das Feld sehn, nimmer der düstere Wald leuchten vom Glanze deines Stahls. Du hinterließest keinen Sohn, aber der Gesang soll deinen Namen erhalten. Künftige Zeiten sollen von dir hören, hören sollen sie von dem gefallenen Morar.
Laut ward die Trauer der Helden, am lautesten Armins berstender Seufzer. Ihn erinnert's an den Tod seines Sohns, der fiel in den Tagen seiner Jugend. Carmor saß nah bei dem Helden, der Fürst des hallenden Galmal. Warum schluchzet der Seufzer Armins?, sprach er, was ist hier zu weinen? Klingt nicht Lied und Gesang, die Seele zu schmelzen und zu ergötzen. Sind wie sanfter

Nebel, der steigend vom See aufs Tal sprüht, und die blühenden Blumen füllet das Nass, aber die Sonne kommt wieder in ihrer Kraft und der Nebel ist gangen. Warum bist du so jammervoll, Armin, Herr des seeumflossenen Gorma?

Jammervoll! Wohl das bin ich, und nicht gering die Ursach meines Wehs. – Carmor, du verlorst keinen Sohn; verlorst keine blühende Tochter! Colgar, der Tapfere lebt; und Amira, die Schönste der Mädchen. Die Zweige deines Hauses blühen, o Carmor, aber Armin ist der Letzte seines Stamms. Finster ist dein Bett, o Daura! Dumpf ist dein Schlaf in dem Grabe – Wann erwachst du mit deinen Gesängen, mit deiner melodischen Stimme? Auf! ihr Winde des Herbst, auf! Stürmt über die finstre Heide! Waldströme braust! Heult, Stürme in dem Gipfel der Eichen! Wandle durch gebrochene Wolken, o Mond, zeige wechselnd dein bleiches Gesicht! Erinnere mich der schröcklichen Nacht, da meine Kinder umkamen, Arindal, der Mächtige, fiel, Daura, die Liebe, verging.

Daura, meine Tochter, du warst schön! Schön wie der Mond auf den Hügeln von Fura, weiß wie der gefallene Schnee, süß wie die atmende Luft. Arindal, dein Bogen war stark, dein Speer schnell auf dem Felde, dein Blick wie Nebel auf der Welle, dein Schild eine Feuerwolke im Sturme. Armar berühmt im Krieg, kam und warb um Dauras Liebe, sie widerstund nicht lange, schön waren die Hoffnungen ihrer Freunde.

Erath, der Sohn Odgals, grollte, denn sein Bruder lag erschlagen von Armar. Er kam in einen Schiffer verkleidet, schön war sein Nachen auf der Welle, weiß seine Locken vor Alter, ruhig sein ernstes Gesicht. Schönste der Mädchen, sagt er, liebliche Tochter von Armin. Dort am Fels nicht fern in der See, wo die rote Frucht vom Baume herblinkt, dort wartet Armar auf Daura. Ich komme, meine Liebe zu führen über die rollende See.

Sie folgt ihm und rief nach Armar. Nichts antwortete als die Stimme des Felsens. Armar, mein Lieber, mein Lieber, warum ängstest du mich so? Höre, Sohn Arnats, höre. Daura ist's, die dich ruft!

Erath, der Verräter, floh lachend zum Lande. Sie erhub ihre Stimme, rief nach ihrem Vater und Bruder. Arindal! Armin! Ist keiner, seine Daura zu retten?

Ihre Stimme kam über die See. Arindal, mein Sohn, stieg vom Hügel herab rau in der Beute der Jagd. Seine Pfeile rasselten an seiner Seite. Seinen Bogen trug er in der Hand. Fünf schwarzgraue Doggen waren um ihn. Er sah den kühnen Erath am Ufer, fasst und band ihn an die Eiche. Fest umflocht er seine Hüften, er füllt mit Ächzen die Winde.

Arindal betritt die Welle in seinem Boote, Daura herüberzubringen. Armar kam in seinem Grimm, drückt ab den grau befiederten Pfeil, er klang, er sank in dein Herz, o Arindal, mein Sohn! Statt Erath des Verräters kamst du um, das Boot erreicht den Felsen, er sank dran nieder und starb. Welch war dein Jammer, o Daura, da zu deinen Füßen floss deines Bruders Blut.

Die Wellen zerschmettern das Boot. Armar stürzt sich in die See, seine Daura zu retten oder zu sterben. Schnell stürmt ein Stoß vom Hügel in die Wellen, er sank und hub sich nicht wieder.

Allein auf dem seebespülten Felsen hört ich die Klage meiner Tochter. Viel und laut war ihr Schreien; doch konnt sie ihr Vater nicht retten. Die ganze Nacht stund ich am Ufer, ich sah sie im schwachen Strahle des Monds, die ganze Nacht hört ich ihr Schrein. Laut war der Wind, und der Regen schlug scharf nach der Seite des Bergs. Ihre Stimme ward schwach, eh der Morgen erschien, sie starb weg wie die Abendluft zwischen dem Grase der Felsen. Beladen mit Jammer starb sie und ließ Armin allein! Dahin ist meine Stärke im Krieg, gefallen mein Stolz unter den Mädchen.

Wenn die Stürme des Berges kommen, wenn der Nord die Wellen hochhebt, sitz ich am schallenden Ufer, schaue nach dem schröcklichen Felsen. Oft im sinkenden Mond seh ich die Geister meiner Kinder, halb dämmernd wandeln sie zusammen in trauriger Eintracht.

Ein Strom von Tränen, der aus Lottens Augen brach und ihrem gepressten Herzen Luft machte, hemmte Werthers

Gesang, er warf das Papier hin und fasste ihre Hand und weinte die bittersten Tränen. Lotte ruhte auf der andern und verbarg ihre Augen ins Schnupftuch, die Bewegung beider war fürchterlich. Sie fühlten ihr eigenes Elend in 5 dem Schicksal der Edlen, fühlten es zusammen, und ihre Tränen vereinigten sie. Die Lippen und Augen Werthers glühten an Lottens Arme, ein Schauer überfiel sie, sie wollte sich entfernen, und es lag all der Schmerz, der Anteil betäubend wie Blei auf ihr. Sie atmete, sich zu er- 10 holen, und bat ihn schluchzend, fortzufahren, bat mit der ganzen Stimme des Himmels, Werther zitterte, sein Herz wollte bersten, er hub das Blatt auf und las halb gebrochen:

Warum weckst du mich, Frühlingsluft, du buhlst und 15 sprichst: Ich betaue mit Tropfen des Himmels. Aber die Zeit meines Welkens ist nah, nah der Sturm, der meine Blätter herabstört! Morgen wird der Wandrer kommen, kommen, der mich sah in meiner Schönheit, rings wird sein Aug im Felde mich suchen, und wird mich nicht 20 finden. –

Die ganze Gewalt dieser Worte fiel über den Unglücklichen, er warf sich vor Lotten nieder in der vollen Verzweiflung, fasste ihre Hände, druckte sie in seine Augen, wider seine Stirn, und ihr schien eine Ahndung seines 25 schröcklichen Vorhabens durch die Seele zu fliegen. Ihre Sinnen verwirrten sich, sie druckte seine Hände, druckte sie wider ihre Brust, neigte sich mit einer wehmütigen Bewegung zu ihm, und ihre glühenden Wangen berührten sich. Die Welt verging ihnen, er schlang seine Ar- 30 me um sie her, presste sie an seine Brust und deckte ihre zitternden, stammelnden Lippen mit wütenden Küssen. Werther!, rief sie mit erstickter Stimme sich abwendend, Werther!, und drückte mit schwacher Hand seine Brust von der ihrigen; Werther!, rief sie mit dem gefassten 35 Tone des edelsten Gefühls; er widerstund nicht, ließ sie aus seinen Armen und warf sich unsinnig vor sie hin. Sie riss sich auf, und in ängstlicher Verwirrung, bebend zwischen Liebe und Zorn sagte sie: Das ist das letzte Mal!

Werther! Sie sehn mich nicht wieder. Und mit dem vollsten Blick der Liebe auf den Elenden eilte sie ins Nebenzimmer und schloss hinter sich zu. Werther streckte ihr die Arme nach, getraute sich nicht, sie zu halten. Er lag an der Erde, den Kopf auf dem Kanapee, und in dieser 5 Stellung blieb er über eine halbe Stunde, bis ihn ein Geräusch zu sich selbst rief. Es war das Mädchen, das den Tisch decken wollte. Er ging im Zimmer auf und ab, und da er sich wieder allein sah, ging er zur Türe des Kabinetts, und rief mit leiser Stimme, Lotte! Lotte! Nur noch 10 ein Wort, ein Lebewohl! – Sie schwieg, er harrte – und bat – und harrte, dann riss er sich weg und rief, Leb wohl, Lotte! Auf ewig leb wohl!

Er kam ans Stadttor. Die Wächter, die ihn schon gewohnt waren, ließen ihn stillschweigend hinaus, es 15 stübte zwischen Regen und Schnee, und erst gegen eilfe klopfte er wieder. Sein Diener bemerkte, als Werther nach Hause kam, dass seinem Herrn der Hut fehlte. Er getraute sich nichts zu sagen, entkleidete ihn, alles war nass. Man hat nachher den Hut auf einem Felsen, der an 20 dem Abhange des Hügels ins Tal sieht, gefunden, und es ist unbegreiflich, wie er ihn in einer finstern, feuchten Nacht, ohne zu stürzen, erstiegen hat.

Er legte sich zu Bette und schlief lange. Der Bediente fand ihn schreiben, als er ihm den andern Morgen auf 25 sein Rufen den Kaffee brachte. Er schrieb Folgendes am Briefe an Lotten:

Zum letzten Male denn, zum letzten Male schlag ich diese Augen auf, sie sollen, ach, die Sonne nicht mehr sehen, ein trüber neblichter Tag hält sie bedeckt. So traure 30 denn, Natur, dein Sohn, dein Freund, dein Geliebter naht sich seinem Ende. Lotte, das ist ein Gefühl ohnegleichen, und doch kommt's dem dämmernden Traume am nächsten zu, zu sich zu sagen: Das ist der letzte Morgen. Der letzte! Lotte, ich hab keinen Sinn vor das Wort, der letzte! 35 Steh ich nicht da in meiner ganzen Kraft, und morgen lieg ich ausgestreckt und schlaff am Boden. Sterben! Was heißt das? Sieh, wir träumen, wenn wir vom Tode reden. Ich hab manchen sterben sehen, aber so eingeschränkt ist die Menschheit, dass sie für ihres Daseins Anfang und Ende keinen Sinn hat. Jetzt noch mein, dein! dein! o Geliebte, und einen Augenblick – getrennt, geschieden – vielleicht auf ewig. – Nein, Lotte, nein – Wie kann ich vergehen, wie kannst du vergehen, wir sind ja! – Vergehen! – Was heißt das? Das ist wieder ein Wort! Ein leerer Schall ohne Gefühl für mein Herz. – – Tot, Lotte! Eingescharrt der kalten Erde, so eng, so finster! – Ich hatte eine Freundin[1], die mein Alles war meiner hülflosen Jugend, sie starb und ich folgte ihrer Leiche und stand an dem Grabe. Wie sie den Sarg hinunterließen und die Seile schnurrend unter ihm weg und wieder heraufschnellten, dann die erste Schaufel hinunterschollerte und die ängstliche Lade[2] einen dumpfen Ton wiedergab und dumpfer und immer dumpfer und endlich bedeckt war! – Ich stürzte neben das Grab hin – Ergriffen, erschüttert, geängstet, zerrissen mein Innerstes, aber ich wusste nicht, wie mir geschah, – wie mir geschehen wird – Sterben! – Grab! Ich verstehe die Worte nicht!

O vergib mir! Vergib mir! Gestern! Es hätte der letzte Augenblick meines Lebens sein sollen. O du Engel! Zum ersten Male, zum ersten Male ganz ohne Zweifel durch mein innig Innerstes durchglühte mich das Wonnegefühl: Sie liebt mich! Sie liebt mich. Es brennt noch auf meinen Lippen das heilige Feuer, das von den deinigen strömte, neue warme Wonne ist in meinem Herzen. Vergib mir, vergib mir.

Ach, ich wusste, dass du mich liebtest, wusste es an den ersten seelenvollen Blicken, an dem ersten Händedruck, und doch, wenn ich wieder weg war, wenn ich Alberten an deiner Seite sah, verzagt' ich wieder in fieberhaften Zweifeln.

Erinnerst du dich der Blumen, die du mir schicktest, als du in jener fatalen Gesellschaft mir kein Wort sagen, keine Hand reichen konntest, o ich habe die halbe Nacht davor gekniet, und sie versiegelten mir deine Liebe. Aber ach! Diese Eindrücke gingen vorüber, wie das Ge-

---

1 die im Brief vom 17.5.1771 erwähnte

2 die angsterregende hölzerne Kiste, hier: der Sarg

fühl der Gnade seines Gottes allmählich wieder aus der Seele des Gläubigen weicht, die ihm mit ganzer Himmelsfülle im heiligen sichtbaren Zeichen gereicht ward. Alles das ist vergänglich, keine Ewigkeit soll das glühende Leben auslöschen, das ich gestern auf deinen Lippen genoss, das ich in mir fühle. Sie liebt mich! Dieser Arm hat sie umfasst, diese Lippen auf ihren Lippen gezittert, dieser Mund am ihrigen gestammelt. Sie ist mein! Du bist mein! Ja, Lotte, auf ewig!
Und was ist das? Dass Albert dein Mann ist! Mann? – Das wäre denn für diese Welt – und für diese Welt Sünde, dass ich dich liebe, dass ich dich aus seinen Armen in die meinigen reißen möchte? Sünde? Gut! Und ich strafe mich davor: Ich hab sie in ihrer ganzen Himmelswonne geschmeckt, diese Sünde, habe Lebensbalsam und Kraft in mein Herz gesaugt, du bist von dem Augenblicke mein! Mein, o Lotte. Ich gehe voran! Geh zu meinem Vater[1], zu deinem Vater, dem will ich's klagen, und er wird mich trösten, bis du kommst, und ich fliege dir entgegen und fasse dich und bleibe bei dir vor dem Angesichte des Unendlichen in ewigen Umarmungen.
Ich träume nicht, ich wähne nicht[2]! Nah am Grabe ward mir's heller. Wir werden sein, wir werden uns wiedersehn! Deine Mutter sehn! Ich werde sie sehen, werde sie finden, ach, und vor ihr all mein Herz ausschütten. Deine Mutter. Dein Ebenbild.

Gegen eilfe fragte Werther seinen Bedienten, ob wohl Albert zurückgekommen sei. Der Bediente sagte: Ja, er habe dessen Pferd dahin führen sehn. Drauf gibt ihm der Herr ein offenes Zettelchen des Inhalts:
Wollten Sie mir wohl zu einer vorhabenden Reise Ihre Pistolen leihen? Leben Sie recht wohl.

---

1 Gott (Anklang an Joh. 14,28)
2 befinde mich nicht im Wahn

Die liebe Frau hatte die letzte Nacht wenig geschlafen, ihr Blut war in einer fieberhaften Empörung und tausenderlei Empfindungen zerrütteten ihr Herz. Wider ihren Willen fühlte sie tief in ihrer Brust das Feuer von Werthers Umarmungen und zugleich stellten sich ihr die Tage ihrer unbefangenen Unschuld, des sorglosen Zutrauens auf sich selbst in doppelter Schöne dar, es ängstigten sie schon zum Voraus die Blicke ihres Manns, und seine halb verdrüsslich, halb spöttischen Fragen, wenn er Werthers Besuch erfahren würde; sie hatte sich nie verstellt, sie hatte nie gelogen, und nun sah sie sich zum ersten Mal in der unvermeidlichen Notwendigkeit; der Widerwillen, die Verlegenheit, die sie dabei empfand, machte die Schuld in ihren Augen größer, und doch konnte sie den Urheber davon weder hassen noch sich versprechen, ihn nie wieder zu sehn. Sie weinte bis gegen Morgen, da sie in einen matten Schlaf versank, aus dem sie sich kaum aufgerafft und angekleidet hatte, als ihr Mann zurückkam, dessen Gegenwart ihr zum ersten Mal ganz unerträglich war; denn indem sie zitterte, er würde das Verweinte, Überwachte ihrer Augen und ihrer Gestalt entdecken, ward sie noch verwirrter, bewillkommte ihn mit einer heftigen Umarmung, die mehr Bestürzung und Reue als eine auffahrende Freude ausdrückte, und eben dadurch machte sie die Aufmerksamkeit Albertens rege, der, nachdem er einige Briefe und Pakets erbrochen[1], sie ganz trocken fragte, ob sonst nichts vorgefallen, ob niemand da gewesen wäre? Sie antwortete ihm stockend, Werther sei gestern eine Stunde gekommen. – Er nimmt seine Zeit gut, versetzt er, und ging nach seinem Zimmer. Lotte war eine Viertelstunde alleingeblieben. Die Gegenwart des Mannes, den sie liebte und ehrte, hatte einen neuen Eindruck in ihr Herz gemacht. Sie erinnerte sich all seiner Güte, seines Edelmuts, seiner Liebe und schalt sich, dass sie es ihm so übel gelohnt habe. Ein unbekannter Zug reizte sie, ihm zu folgen, sie nahm ihre Arbeit, wie sie mehr getan hatte, ging nach seinem Zimmer und fragte, ob er was

1 (durch Zerbrechen der Siegel) geöffnet hatte

bedürfte. Er antwortete: Nein!, stellte sich an Pult zu schreiben und sie setzte sich nieder zu stricken. Eine Stunde waren sie auf diese Weise nebeneinander, und als Albert etliche Mal in der Stube auf und ab ging und Lotte ihn anredete, er aber wenig oder nichts drauf gab und sich wieder an Pult stellte, so verfiel sie in eine Wehmut, die ihr um desto ängstlicher ward, als sie solche zu verbergen und ihre Tränen zu verschlucken suchte.
Die Erscheinung von Werthers Knaben[1] versetzte sie in die größte Verlegenheit, er überreichte Alberten das Zettelchen, der sich ganz kalt nach seiner Frau wendete, und sagte: Gib ihm die Pistolen. – Ich lass ihm glückliche Reise wünschen, sagt er zum Jungen. Das fiel auf sie wie ein Donnerschlag. Sie schwankte aufzustehn. Sie wusste nicht, wie ihr geschah. Langsam ging sie nach der Wand, zitternd nahm sie sie herunter, putzte den Staub ab und zauderte und hätte noch lang gezögert, wenn nicht Albert durch einen fragenden Blick: Was denn das geben sollte? sie gedrängt hätte. Sie gab das unglückliche Gewehr dem Knaben, ohne ein Wort vorbringen zu können, und als der zum Hause draus war, machte sie ihre Arbeit zusammen, ging in ihr Zimmer in dem Zustand des unaussprechlichsten Leidens. Ihr Herz weissagte ihr alle Schröcknisse. Bald war sie im Begriff, sich zu den Füßen ihres Mannes zu werfen, ihm alles zu entdecken, die Geschichte des gestrigen Abends, ihre Schuld und ihre Ahndungen. Dann sah sie wieder keinen Ausgang des Unternehmens, am wenigsten konnte sie hoffen, ihren Mann zu einem Gange nach Werthern zu bereden. Der Tisch ward gedeckt und eine gute Freundin, die nur etwas zu fragen kam und die Lotte nicht wegließ, machte die Unterhaltung bei Tische erträglich, man zwang sich, man redete, man erzählte, man vergaß sich.
Der Knabe kam mit den Pistolen zu Werthern, der sie ihm mit Entzücken abnahm, als er hörte, Lotte habe sie ihm gegeben. Er ließ sich ein Brot und Wein bringen, hieß den Knaben zu Tisch gehn und setzte sich nieder zu schreiben.

[1] jungem Bediensteten

Sie sind durch deine Hände gegangen, du hast den Staub davon geputzt, ich küsse sie tausendmal, du hast sie berührt. Und du, Geist des Himmels, begünstigst meinen Entschluss! Und, du, Lotte, reichst mir das 5 Werkzeug, du, von deren Händen ich den Tod zu empfangen wünschte, und, ach, nun empfange. O ich habe meinen Jungen ausgefragt, du zittertest, als du sie ihm reichtest, du sagtest kein Lebewohl; – Weh! Weh! – kein Lebewohl! – Solltest du dein Herz für mich verschlossen 10 haben, um des Augenblicks willen, der mich auf ewig an dich befestigte. Lotte, kein Jahrtausend vermag den Eindruck auszulöschen! Und ich fühl's, du kannst den nicht hassen, der so für dich glüht.

Nach Tische hieß er den Knaben alles vollends einpacken, 15 zerriss viele Papiere, ging aus und brachte noch kleine Schulden in Ordnung. Er kam wieder nach Hause, ging wieder aus, vors Tor, ohngeachtet des Regens, in den gräflichen Garten, schweifte weiter in der Gegend umher und kam mit einbrechender Nacht zurück und schrieb.

---

20 Wilhelm, ich habe zum letzten Male Feld und Wald und den Himmel gesehn. Leb wohl auch du! Liebe Mutter, verzeiht mir! Tröste sie, Wilhelm. Gott segne euch! Meine Sachen sind all in Ordnung. Lebt wohl! Wir sehen uns wieder und freudiger.

*

25 Ich habe dir übel gelohnt, Albert, und du vergibst mir. Ich habe den Frieden deines Hauses gestört, ich habe Misstrauen zwischen euch gebracht. Leb wohl, ich will's enden. O dass ihr glücklich wäret durch meinen Tod! Albert! Albert! Mache den Engel glücklich. Und so woh- 30 ne Gottes Segen über dir!

Er kramte den Abend noch viel in seinen Papieren, zerriss vieles und warf's in Ofen, versiegelte einige Päcke mit den Adressen an Wilhelmen. Sie enthielten kleine Aufsätze, abgerissene Gedanken, deren ich verschiedene gesehen habe; und nachdem er um zehn Uhr im Ofen nachlegen und sich einen Schoppen Wein geben lassen, schickte er den Bedienten, dessen Kammer wie auch die Schlafzimmer der Hausleute weit hinten hinaus waren, zu Bette, der sich denn in seinen Kleidern niederlegte, um früh bei der Hand zu sein, denn sein Herr hatte gesagt, die Postpferde würden vor sechse vors Haus kommen.

*

nach eilfe.

Alles ist so still um mich her, und so ruhig meine Seele, ich danke dir, Gott, der du diesen letzten Augenblicken diese Wärme, diese Kraft schenkest.

Ich trete ans Fenster, meine Beste, und seh und sehe noch durch die stürmenden vorüberfliehenden Wolken einzelne Sterne des ewigen Himmels! Nein, ihr werdet nicht fallen! Der Ewige trägt euch an seinem Herzen, und mich. Ich sah die Deichselsterne des Wagens, des liebsten unter allen Gestirnen. Wenn ich nachts von dir ging, wie ich aus deinem Tore trat, stand er gegenüber! Mit welcher Trunkenheit hab ich ihn oft angesehen! Oft mit aufgehobenen Händen ihn zum Zeichen, zum heiligen Merksteine meiner gegenwärtigen Seligkeit gemacht, und noch – O Lotte, was erinnert mich nicht an dich! Umgibst du mich nicht, und hab ich nicht gleich einem Kinde, ungenügsam allerlei Kleinigkeiten zu mir gerissen, die du Heilige berührt hattest!

Liebes Schattenbild[1]! Ich vermache dir's zurück, Lotte, und bitte dich es zu ehren. Tausend, tausend Küsse hab ich drauf gedrückt, tausend Grüße ihm zugewinkt, wenn ich ausging oder nach Hause kam.

Ich habe deinen Vater in einem Zettelchen gebeten, meine Leiche zu schützen[2]. Auf dem Kirchhofe sind zwei Lindenbäume, hinten im Ecke nach dem Felde zu, dort

---

1 Schattenriss (vgl. die Briefe vom 24.7.1771 und 20.2.1772)

2 Der Leichnam von Selbstmördern wurde aus Gründen des christlichen Glaubens im Allgemeinen nicht auf dem Friedhof der Gemeinde beigesetzt und ging oft an die medizinische Fakultät.

wünsch ich zu ruhen. Er kann, er wird das für seinen Freund tun. Bitte ihn auch. Ich will frommen Christen nicht zumuten, ihren Körper neben einem armen Unglücklichen niederzulegen. Ach, ich wollte, ihr begrübt mich am Wege oder im einsamen Tale, dass Priester und Levite vor dem bezeichnenden Steine sich segnend vorüberging und der Samariter[1] eine Träne weinte.

Hier Lotte! Ich schaudere nicht, den kalten schröcklichen Kelch zu fassen, aus dem ich den Taumel des Todes trinken soll! Du reichtest mir ihn, und ich zage nicht. All! All! So sind all die Wünsche und Hoffnungen meines Lebens erfüllt! So kalt, so starr an der ehernen Pforte des Todes anzuklopfen.

Dass ich des Glücks hätte teilhaftig werden können! Für dich zu sterben, Lotte, für dich mich hinzugeben. Ich wollte mutig, ich wollte freudig sterben, wenn ich dir die Ruhe, die Wonne deines Lebens wieder schaffen könnte; aber ach, das ward nur wenig Edlen gegeben, ihr Blut für die Ihrigen zu vergießen und durch ihren Tod ein neues hundertfältiges Leben ihren Freunden anzufachen.

In diesen Kleidern, Lotte, will ich begraben sein. Du hast sie berührt, geheiligt. Ich habe auch darum deinen Vater gebeten. Meine Seele schwebt über dem Sarge. Man soll meine Taschen nicht aussuchen. Diese blassrote Schleife, die du am Busen hattest, als ich dich zum ersten Male unter deinen Kindern fand. O küsse sie tausendmal und erzähl ihnen das Schicksal ihres unglücklichen Freunds. Die Lieben, sie wimmeln um mich. Ach, wie ich mich an dich schloss! Seit dem ersten Augenblicke dich nicht lassen konnte! Diese Schleife soll mit mir begraben werden. An meinem Geburtstage schenktest du mir sie! Wie ich das all verschlang – Ach, ich dachte nicht, dass mich der Weg hierher führen sollte! – – Sei ruhig! Ich bitte dich, sei ruhig! –

Sie sind geladen – es schlägt zwölfe! – So sei's denn – Lotte! Lotte, leb wohl! Leb wohl!

*

[1] vgl. Luk. 10,31 – 33

Ein Nachbar sah den Blick[1] vom Pulver und hörte den Schuss fallen, da aber alles still blieb, achtete er nicht weiter drauf.
Morgens um sechse tritt der Bediente herein mit dem Lichte, er findet seinen Herrn an der Erde, die Pistole und Blut. Er ruft, er fasst ihn an, keine Antwort, er röchelt nur noch. Er lauft nach den Ärzten, nach Alberten. Lotte hört die Schelle ziehen, ein Zittern ergreift all ihre Glieder, sie weckt ihren Mann, sie stehen auf, der Bediente bringt heulend und stotternd die Nachricht, Lotte sinkt ohnmächtig vor Alberten nieder.
Als der Medikus zu dem Unglücklichen kam, fand er ihn an der Erde ohne Rettung, der Puls schlug, die Glieder waren alle gelähmt, über dem rechten Auge hatte er sich durch den Kopf geschossen, das Gehirn war herausgetrieben. Man ließ ihm zum Überflusse eine Ader am Arme[2], das Blut lief, er holte noch immer Atem.
Aus dem Blut auf der Lehne des Sessels konnte man schließen, er habe sitzend vor dem Schreibtische die Tat vollbracht. Dann ist er heruntergesunken, hat sich konvulsivisch[3] um den Stuhl herumgewälzt, er lag gegen das Fenster entkräftet auf dem Rücken, war in völliger Kleidung, gestiefelt, im blauen Frack, mit gelber Weste.
Das Haus, die Nachbarstadt, die Stadt kam in Aufruhr. Albert trat herein. Werthern hatte man aufs Bett gelegt, die Stirne verbunden, sein Gesicht schon wie eines Toten, er rührte kein Glied, die Lunge röchelte noch fürchterlich, bald schwach, bald stärker, man erwartete sein Ende.
Von dem Weine hatte er nur ein Glas getrunken. Emilia Galotti[4] lag auf dem Pulte aufgeschlagen.

---

1 hier: Blitz
2 Beim Aderlass wurde aus einer Vene Blut entnommen, um den Blutdruck zu senken.
3 krampfhaft zuckend
4 Bürgerliches Trauerspiel (1772) von Gotthold Ephraim Lessing; darin sieht die Heldin in ihrem gewaltsamen Tod die einzige Möglichkeit, um ihre Ehre zu retten.

Von Alberts Bestürzung, von Lottens Jammer lasst mich nichts sagen.
Der alte Amtmann kam auf die Nachricht hereingesprengt, er küsste den Sterbenden unter den heißesten Tränen. Seine ältsten Söhne kamen bald nach ihm zu Fuße, sie fielen neben dem Bette nieder im Ausdruck des unbändigsten Schmerzens, küssten ihm die Hände und den Mund, und der Älteste, den er immer am meisten geliebt, hing an seinen Lippen, bis er verschieden war und man den Knaben mit Gewalt wegriss. Um zwölfe mittags starb er. Die Gegenwart des Amtmanns und seine Anstalten tischten[1] einen Auflauf. Nachts gegen eilfe ließ er ihn an die Stätte begraben, die er sich erwählt hatte, der Alte folgte der Leiche und die Söhne. Albert vermocht's nicht. Man fürchtete für Lottens Leben. Handwerker trugen ihn. Kein Geistlicher hat ihn begleitet.

---

1 dämpften, beschwichtigten

Anhang

I. Entstehung des Romans „Die Leiden des jungen Werthers“

1. Johann Wolfgang Goethe: Stationen seines Lebens

Johann Wolfgang Goethe, Miniatur in Öl von Daniel Bager, Frankfurt a. M. 1773

Johann Wolfgang Goethe wird am 28. August 1749 in der freien Reichsstadt Frankfurt am Main als erstes von sechs Kindern geboren und verbringt dort seine Kindheit und frühe Jugend in einem wohlhabenden Elternhaus. Sein Vater – kaiserlicher Rat ohne verpflichtende Amtsgeschäfte – kümmert sich persönlich um die Erziehung seines ältesten Sohnes und dessen um ein Jahr jüngere Schwester Cornelia. Im Übrigen vermitteln Privatlehrer dem jungen Wolfgang eine Ausbildung, die sich vor allem auf alte und neue Sprachen bezieht, bis er 1765 zum Jurastudium nach Leipzig zieht.
Der siebzehnjährige Student folgt damit mehr dem Willen seines Vaters, der selbst Jurist ist, als eigenen Interessen und beschäftigt sich lieber mit den schönen Künsten. Wegen einer schweren Krankheit (Blutsturz) kehrt er nach drei Jahren ins Elternhaus zurück. Eine Freundin seiner Mutter pflegt ihn hier und sucht ihn für den Pietismus, eine auf Erneuerung des frommen Lebens ausgerichtete Bewegung im Protestantismus, zu gewinnen. 1770 setzt Goethe sein Studium in Straßburg fort.
Dort lernt er Johann Gottfried Herder (1744–1803) kennen, der ihn für Shakespeares Dichtung begeistert, mit der Volksdichtung und den Ossian-Liedern bekanntmacht. Goethe schreibt selbst Gedichte, von denen einige, z.B. „Es schlug mein Herz. Geschwind, zu Pferde!“[1], aus dem unmittelbaren Eindruck seiner Neigung zu der Pastorentochter Friederike Brion aus dem elsässischen Städtchen Sesenheim entstehen (Erlebnislyrik).
Nach Beendigung seines Studiums (1771) betreibt Goethe zwar in lockerer Zusammenarbeit mit seinem Vater eine Rechtsanwaltskanzlei in Frankfurt, führt jedoch ein unangepasstes Leben (Geniezeit); er wird in den Darmstädter Zirkel der Empfindsamen eingeführt und befasst sich mit Literatur: Er übersetzt die Ossian-Lieder aus dem Englischen, schreibt Gedichte und Aufsätze zur Literatur und Kunst und dramatisiert die Lebensgeschichte eines Raubritters im Shakespeare-Stil; dieses Schauspiel „Götz von Berlichingen mit der eisernen Hand“ macht ihn sofort bekannt und wird zum Vorbild der Sturm- und Dranggeneration.

[1] siehe Kapitel 2.3

Lottehaus – Geburtshaus von Charlotte Buff in Wetzlar

Von Mai bis September 1772 hält Goethe sich in Wetzlar auf, um als Praktikant am Reichskammergericht, der obersten Rechtsinstanz des Reiches, seine juristischen Kenntnisse zu erweitern. Hier liest er in seiner Freizeit intensiv Homer. Seine Liebe zu der 19-jährigen Charlotte Buff, der Braut des Hannoverschen Gesandtschaftssekretärs Johann Christian Kestner, und die Nachrichten über den Selbstmord des Braunschweigischen Legationssekretärs Carl Wilhelm Jerusalem[1], den Goethe schon aus seiner Leipziger Studentenzeit kannte, verarbeitet er in Frankfurt in seinem Briefroman „Die Leiden des jungen Werthers" (1774); dieser Roman, den Goethe nach eigenen Worten in vier Wochen niedergeschrieben hat, wird ein großer Verkaufserfolg und bringt dem Verfasser europäischen Ruhm ein.
1775 folgt Goethe einer Einladung des 18-jährigen Erbprinzen Karl August von Sachsen-Weimar-Eisenach nach dessen Residenzstadt, die von nun an sein Lebensmittelpunkt wird. Hier begegnet er auch Charlotte von Stein, die großen Einfluss auf seine dichterische Entwicklung hat.

[1] siehe Kapitel 1.5 (Kestners Bericht über Jerusalem an Goethe)

Während des ersten Weimarer Jahrzehnts übt Goethe fast ausschließlich staatspolitische Tätigkeiten in hohen Ämtern aus (er ist z.B. zuständig für Heerwesen, Berg- und Wegebau, staatliche Güter und Forsten, künstlerische und wissenschaftliche Anstalten, Finanzen) und betreibt wissenschaftliche Studien (1784 entdeckt er den Zwischenkieferknochen beim Menschen).

Wohl aufgrund einer Lebenskrise (Gefühl des Unerfülltseins bei starker beruflicher Beanspruchung) reist Goethe 1786 für fast zwei Jahre nach Italien und kehrt – angeregt durch die Begegnung mit der antiken Kultur – mit einer neuen Sicht auf Kunst und Leben, mit vielen beendeten Schriften und neuen Entwürfen nach Weimar zurück; u.a. hat er das Drama „Iphigenie" in Blankverse umgeschrieben und „Egmont" vollendet. Er lässt sich nun von allen Amtspflichten entbinden und übernimmt die Leitung des Hoftheaters.

Seit 1788 lebt er mit einer jungen Frau aus kleinbürgerlichen Verhältnissen, Christiane Vulpius (gest. 1816), zusammen (die er erst 1806 heiratet), 1789 wird der Sohn August geboren (gest. 1830).

Von seinen Beziehungen zu Dichtern erweist sich die Freundschaft mit Friedrich Schiller (1759–1805) als die produktivste. Mit ihm bespricht er literarische Pläne, dichtet teilweise in Konkurrenz zu ihm Balladen, z.B. „Der Zauberlehrling"; gemeinsam engagieren sie sich für die Theaterarbeit. Das Jahrzehnt, in dem die beiden Dichter zusammenarbeiten, bedeutet den Höhepunkt der deutschen Klassik. Weimar wird kultureller Mittelpunkt in Deutschland.

Goethes letzter Lebensabschnitt – nach Schillers Tod – ist weiterhin durch große schriftstellerische Schaffenskraft geprägt, z.B. kann er seine „Faust"-Dichtung fertigstellen. Goethe begegnet auch in dieser Zeit bedeutenden Persönlichkeiten, z.B. Napoleon (1808), der „Werther" zu seiner Lieblingslektüre zählt, und Ludwig van Beethoven (1812).

1827–1830 erscheinen Goethes „Werke. Vollständige Ausgabe letzter Hand" in 60 Bänden.

Goethe stirbt im Alter von 82 Jahren am 22. März 1832 in Weimar.

2. Hendrik Madsen: Welchen „Werther"-Roman sollen wir lesen? – Fassungen, Nachdrucke und Ausgaben von Goethes „Werther"

Die Texte der neueren deutschen Literatur sind in der Regel in Originalen überliefert: „in Handschriften – als eigenhändigen Niederschriften – und in Drucken"[1]. Sowohl die Handschriften eines-Autors als auch die Drucke zu dessen Lebzeiten können Überarbeitungen erfahren haben.
Wir als Leser der Gegenwart stehen diesen oft schwierigen Entstehungs- und Überlieferungsverhältnissen gegenüber und müssen uns um einen systematischen Zugang bemühen, wenn wir die literarischen Texte lesen und verstehen wollen. Die Literaturwissenschaft ermöglicht, dass wir einen solchen Zugang finden, indem sie die Texte wissenschaftlich **ediert** (lat., „herausgibt"). Der edierte Text wird in einer **historisch-kritischen Ausgabe** dargeboten, die textliche Abweichungen unterschiedlicher Fassungen (Varianten) und ausführliche Anmerkungen (Überlieferungsgeschichte, Entstehungsgeschichte, Erläuterungen) enthält. Solche historisch-kritischen Ausgaben umfassen meist das gesamte Werk eines Autors; daneben gibt es verbreitetere (und kostengünstigere) **Lese- und Studienausgaben** einzelner Werke.
Die Disziplin der Literaturwissenschaft, die sich die Edition der literarischen Texte zur Aufgabe gemacht hat, wird als **Editionsphilologie** bezeichnet. Die Edition eines Textes stellt die Grundlage für dessen Interpretation dar: Edition und Interpretation bedingen einander.
Dieser Zusammenhang wird am Beispiel des Romans „Die Leiden des jungen Werthers" besonders deutlich; die Bestimmung der Textgrundlage für eine Ausgabe führt nämlich aufgrund der komplizierten Überlieferungs- und Textgeschichte[2] zu Schwierigkeiten: Nach eigener Aussage

[1] Herbert Kraft: Editionsphilologie. Mit Beiträgen von Jürgen Gregolin, Wilhelm Ott und Gert Vonhoff. Unter Mitarbeit von Michael Billmann. Darmstadt 1990, S. 39

[2] Vgl. Bodo Plachta: Editionswissenschaft. Eine Einführung in Methode und Praxis der Edition neuerer Texte. Stuttgart 1997, S. 75 – 77

schrieb Goethe den „Werther"-Roman im Frühjahr 1774 in wenigen Wochen nieder. Das Werk ging allerdings erst nach zwei Monaten[1] bei dem Verleger Weygand in Leipzig ein und erschien anonym zur Michaelismesse[2] unter dem Titel „Die Leiden des jungen Werthers". Im selben Jahr brachte dieser Verlag zwei Nachdrucke heraus, in denen einige Druckfehler berichtigt wurden. Die „zweyte ächte Auflage" erschien 1775 ebenfalls bei Weygand in Leipzig; hier wurde ein zusätzlicher Absatz in den Brief vom 13.7.71 eingefügt und dem Text wurden folgende Motto-Verse vorangestellt:

Vor dem ersten Buch:

Jeder Jüngling sehnt sich, so zu lieben,
Jedes Mädchen, so geliebt zu sein.
Ach, der heiligste von unsern Trieben,
Warum quillt aus ihm die grimme Pein?

Vor dem zweiten Buch:

Du beweinst, du liebst ihn, liebe Seele,
Rettest sein Gedächtnis von der Schmach;
Sieh, dir winkt sein Geist aus seiner Höhle;
Sei ein Mann, und folge mir nicht nach.

Die Verse wurden in späteren Auflagen nicht mehr verwendet.
Der „Werther"-Roman wurde aufgrund seines Erfolges in zahlreichen **Nachdrucken** verbreitet, besonders von dem Berliner Buchhändler Christian Friedrich Himburg. Er gab 1775 ohne Erlaubnis des Dichters „J. W. Goethens Schriften" heraus; der erste Teil der „Schriften" enthielt den „Werther", dessen Text von Himburg leicht verändert und dem Berliner Sprachgebrauch angeglichen wurde. In den

[1] Goethe begann die Arbeit am „Werther" Anfang Februar 1774 und lieferte ihn im Mai mit dem Vermerk „eilend" beim Verleger ab.
[2] Die katholische Tradition verehrt Michael als Erzengel; das Fest findet am 29.9. statt.

Jahren 1777 und 1779 legte Himburg die „Schriften" neu auf; mit jeder Neuauflage vermehrten sich die Druckfehler. Als Goethe 1782 mit der Umarbeitung des Romans beginnen wollte, hatte er kein Exemplar des „Werthers" zur Hand. Er wandte sich an Frau von Stein[1], die ihm aber nur mit einem Band der dritten Auflage der himburgschen Ausgabe helfen konnte. Goethe ließ den Roman nach der genannten Vorlage gegen Ende 1782 abschreiben und trug eigenhändig seine Zusätze und Korrekturen ein.
Bei der Umarbeitung wurden die Mottoverse der „zweyten ächten Auflage" wieder gestrichen, mehrere Briefe umgestellt und neue hinzugefügt. Neben den inhaltlichen Veränderungen wurde eine durchgehende Glättung des Sprachstils vorgenommen: Himburg, von dessen Text Goethe ausging, hatte bereits die vielen Verkürzungen der originalen Fassung rückgängig gemacht und üblichere Schreibweisen eingeführt. Goethe ließ dies gelten und tilgte Kraftausdrücke wie „Kerl", verminderte mundartliche Wendungen, nahm ausgefallene Wortstellungen zurück und kürzte einige Perioden. Dieses korrigierte Manuskript der neuen Fassung diente schließlich der Vorlage für den Druck von Band I der achtbändigen „Schriften", die seit 1787 bei Göschen in Leipzig erschienen. Goethes „Werther" liegt demnach in zwei **Fassungen**, einer ersten und einer zweiten überarbeiteten vor, also in zwei unterschiedlichen Texten, wobei die Grundlage der zweiten Fassung des Romans von 1787 nicht das Original der Erstausgabe ist, sondern ein fehlerreicher Nachdruck.

Es muss (wenn nicht beide Fassungen parallel abgedruckt werden können) die editorische Entscheidung getroffen werden, welcher Fassung bei der Herausgabe der Vorzug gegeben werden soll. „Lange Zeit herrschte die Ansicht vor, es sei die letzte vom Autor gebilligte Fassung in der

[1] Charlotte von Stein (1742–1827) war eine enge Freundin Goethes, die inspirierenden Einfluss auf die Gestaltung einiger Frauenfiguren in seinem Werk ausübte (z.B. Iphigenie in dem Drama „Iphigenie auf Tauris"). Die Freundschaft zerbrach nach Goethes Italienreise und dem Beginn seiner Lebensgemeinschaft mit Christiane Vulpius.

Ausgabe letzter Hand allen anderen Fassungen vorzuziehen, weil sie gleichsam als Testamentsverfügung zu akzeptieren sei."[1] Das Prinzip der Ausgabe letzter Hand, das bis heute als maßgeblich bezeichnet wird, ist der Weimarer Goethe-Ausgabe zugrunde gelegt, „derjenigen Ausgabe, die mit 143 Bänden und nahezu 60000 Seiten die umfangreichste Werkedition innerhalb der deutschen Literaturgeschichte ist."[2] Das Herausgabeprinzip wird im ersten Band folgendermaßen erläutert: „Bei Allem, was Gestalt und Erscheinung der Ausgabe im Großen wie im Einzelnen betrifft, soll befolgt werden, was uns als Goethes selbstwillige Verfügung bekannt ist. [...] Für den Druck der Werke hat er selbst die Norm gegeben in der Ausgabe letzter Hand. Sie ist sein Vermächtnis, er selbst hat sie so betrachtet, als den Abschluss seiner Lebensarbeit."[3] Dementsprechend folgt die Weimarer Goethe-Ausgabe beim „Werther" dem Text der zweiten Fassung, da sie die Ausgabe letzter Hand ist. Viele andere Ausgaben schließen sich dieser Entscheidung an.

Wenn der „Werther" aber als Werk des jungen Goethe und als literaturgeschichtliches Beispiel für die Dichtung des „Sturm und Drang" gelesen werden soll, dann kann der Roman „nur in der Fassung von 1774 und nicht in der von 1787 präsentiert werden"[4]. Falls nämlich „die Fassung von 1787 so behandelt wird (und das geschah fast immer

---

[1] Norbert Oellers: Edition. In: Dieter Gutzen, Norbert Oellers und Jürgen H. Petersen: Einführung in die neuere deutsche Literaturwissenschaft. Ein Arbeitsbuch. Berlin: 3., veränderte und erweiterte Auflage 1979, S. 133

[2] Herbert Kraft: Historisch-kritische Literaturwissenschaft. Münster 1999, S. 77

[3] Goethes Werke. Hrsg. im Auftrage der Großherzogin Sophie von Sachsen. Bd. 1, S. XIX

[4] Norbert Oellers: Interpretierte Geschichte, Geschichtlichkeit der Interpretation. Probleme wissenschaftlicher Edition. In: Geist, Geld und Wissenschaft. Arbeits- und Darstellungsformen von Literaturwissenschaft. Hrsg. v. Peter J. Brenner, Frankfurt a. M. 1993, S. 235

so), als sei sie das Jugendwerk von 1774, dann wird der (neue) Text in einen unangemessenen historischen Zusammenhang gebracht"[1]. Eine Interpretation unter solchen Bedingungen kann nur zu falschen Ergebnissen führen, da in der zweiten Fassung gerade jene Elemente aus dem Text entfernt wurden, die der „Sturm-und Drang'-Programmatik literarisch Gestalt gegeben"[2] haben.

Die Textgrundlage sollte daher die *erste veröffentlichte Fassung* des Werkes, die **Editio princeps**, sein; sie ist es, „die am Schnittpunkt von Produktion und Rezeption Werkcharakter begründet hat"[3]. Bezeichnenderweise empfiehlt Goethe selbst im Konzept eines Briefes vom 3. Juli 1824 an die weygandsche Buchhandlung in Leipzig die erste Fassung des „Werther" für einen Neudruck: „Ich werfe nämlich die Frage auf: Ob Sie nicht das Büchlein nach der ersten Ausgabe, wie es Ihrem Verlag ursprünglich gegeben worden, [neu drucken wollen?] es ist in der letzten Zeit viel Nachfrage danach gewesen, ich habe sie selbst in Auctionen im gesteigerten Preis zu erhalten gesucht. Der erste Abdruck in seiner heftigen Unbedingtheit ist's eigentlich, der die große Wirkung hervorgebracht hat; ich will die nachfolgenden Ausgaben nicht schelten, aber sie sind schon durch äußere Einflüsse gemildert geregelt und haben denn doch nicht jenes frische unmittelbare Leben"[4].

Das „historische Relief"[5] der Erstfassung wurde also in der zweiten Fassung abgeschliffen; die *ungeschliffene* Oberfläche anhand der Erstfassung zur Kenntnis zu nehmen heißt dagegen, auf das „geschichtliche Moment", das „den Kunstwerken konstitutiv" ist, auf ihre Eigenschaft, „die ih-

---

1 Norbert Oellers: Interpretierte Geschichte, S. 235

2 Bodo Plachta: Editionswissenschaft, S. 77

3 Herbert Kraft: Editionsphilologie, S. 29

4 Goethes Werke. Hrsg. im Auftrage der Großherzogin Sophie von Sachsen. 4. Abteilung. Bd. 38, S. 356

5 Ernst Grumach: Probleme der Goethe-Ausgabe. In: Das Institut für deutsche Sprache und Literatur. Vorträge, gehalten an der Eröffnungstagung. Berlin 1954 (= Deutsche Akademie der Wissenschaften zu Berlin. Veröffentlichungen des Instituts für Deutsche Sprache und Literatur I.), S. 45

rer selbst unbewusste Geschichtsschreibung ihrer Epoche"[1] zu sein, aufmerksam zu werden. Damit erst ist die historisch-kritische Perspektive nicht nur für die Edition, sondern auch für die Interpretation gewonnen: Wenn literarische Werke die ihrer selbst *unbewusste* Geschichtsschreibung ihrer Epoche sind, gilt es, das Unbewusste durch die Interpretation *bewusst* zu machen. Dann sind literarische Werke nicht nur Abbilder ihrer Zeit, „sondern zugleich *Vorausbilder* ihrer Zeit, und sie sind Vorausbilder der nachfolgenden Zeiten, in die sie, die Werke aus der Vergangenheit, als dann wieder gegenwärtige Kunst überliefert werden."[2]

3. Georg Jäger: Über den Zusammenhang zwischen „Werther"-Wirkung und Umarbeitung

Das „Wertherfieber"[3] ist eine sozialpsychologische Erscheinung, zu der das Werk Anlass bot. Die Vorrede des Herausgebers zielt mit der Wendung an das Herz des Lesers, mit der Personalisierung des Leserkontaktes ein Seelen- und Freundschaftsverhältnis zur Literatur an, wie es für die Empfindsamkeit[4] typisch ist. Die Form des einseitigen Briefromans hat eine emotionale Identifikation mit der Titelgestalt erlaubt. Damit die Leseridee zur Wirkung kam, muss das Werk Formeln angeboten haben, in die eine Viel-

---

[1] Theodor W. Adorno: Ästhetische Theorie. Hrsg. von Gretel Adorno und Rolf Tiedemann. Frankfurt a. M., 14. Auflage. 1998, S. 272

[2] Herbert Kraft: Historisch-kritische Literaturwissenschaft, S. 12. Siehe ferner zum Verfahren der historisch-kritischen Literaturwissenschaft: Dietrich Steinbach: Die historisch-kritische Sozialtheorie der Literatur. Stuttgart 1973

[3] Wirkung des „Werther"-Romans in Form einer jugendlich-weltschmerzlichen Haltung mit möglichem Ende im Selbstmord. Die Folgen des „Wertherfiebers" griffen in die gesellschaftlichen Verhältnisse der gebildeten Stände und in das literarische Leben nachhaltig ein.

[4] Vgl. dazu Kap. II. 2

heit individueller Gefühle und Vorstellungen projiziert werden konnte. Der Leser reduziert die Sinnmöglichkeiten auf anschließbare eigene Geschichtenelemente. [...] Der hohe Identifikationswert des Romans hat zur Folge, dass die ästhetische Distanz zu ihm aufgehoben werden kann. Die falsche Rezeption hatte Goethe gelehrt, „dass Autoren und Publikum durch eine ungeheure Kluft getrennt sind". Er hat in der klassischen Umarbeitung (1782 bis 1786) „die Möglichkeit, den Text an die eigenen Erfahrungen anzuschließen", beschränkt. Eine Reihe von Lesehinweisen, welche die Gestalt Werthers problematisieren und die distanzlose Identifikation mit ihm erschweren, dient jetzt der Lenkung der Leserperspektive. Damit stellt sich die Umarbeitung als ein Rückkopplungsprozess dar, bei dem Goethe auf die Erfahrung mit der Erstfassung reagiert. Außerästhetische Determinanten, reale Publikumsbedingungen, erfahren durch den Autor „ihre Transformation in das literarische Gebilde".

Georg Jäger: Die Wertherwirkung. Ein rezeptionsästhetischer Modellfall. In: Historizität in Sprach- und Literaturwissenschaft. Vorträge und Berichte der Stuttgarter Germanistentagung 1972. In Verbindung mit Hans Fromm und Karl Richter. Hrsg. v. Walter Müller-Seidel. München: Fink Verlag 1974, S. 395–397.

4. Exemplarische Gegenüberstellung der ersten und der zweiten Fassung[1]

Erste Fassung:

D e r H e r a u s g e b e r a n d e n L e s e r.
Die ausführliche Geschichte der lezten merkwürdigen Tage unsers Freundes zu liefern, seh ich mich genöthiget seine Briefe durch Erzählung zu unterbrechen, wozu ich den Stof aus dem Munde Lottens, Albertens, seines Bedienten, und anderer Zeugen gesammelt habe.

Werthers Leidenschaft hatte den Frieden zwischen Alberten und seiner Frau allmählig untergraben, dieser liebte sie mit der ruhigen Treue eines rechtschafnen Manns, und der freundliche Umgang mit ihr subordinierte sich nach und nach seinen Geschäften. Zwar wollte er sich nicht den Unterschied gestehen, der die gegenwärtige Zeit den Bräutigams-Tagen so ungleich machte: doch fühlte er innerlich einen gewissen Widerwillen gegen Werthers Aufmerksamkeiten für Lotten, die ihm zugleich ein Eingriff in seine Rechte und ein stiller Vorwurf zu seyn scheinen mußten. Dadurch ward der üble Humor vermehrt, den ihm seine überhäuften, gehinderten, schlecht belohnten Geschäfte manchmal gaben, und da denn Werthers Lage auch ihn zum traurigen Gesellschafter machte, indem die Beängstigung seines Herzens, die übrige Kräfte seines Geistes, seine Lebhaftigkeit, seinen Scharfsinn aufgezehrt hatte; so konnte es nicht fehlen, daß Lotte zuletzt selbst mit angestekt wurde, und in eine Art von Schwermuth verfiel, in der Albert eine wachsende Leidenschaft für ihren Liebhaber, und Werther einen tiefen Verdruß über das veränderte Betragen ihres Mannes zu entdekken glaubte. Das Mistrauen, womit die beyden Freunde einander ansahen, machte ihnen ihre wechselseitige Gegenwart höchst beschwerlich. Albert mied das Zimmer seiner Frau, wenn Werther bey ihr war, und dieser, der es merkte, ergriff nach einigen fruchtlosen Versuchen ganz von ihr zu lassen, die Gelegenheit, sie in solchen Stunden zu sehen, da ihr Mann von seinen Geschäften gehalten wurde. Daraus entstund neue Unzufriedenheit, die Gemüther verhezten sich immer mehr gegen einander, bis zuletzt Albert seiner Frau mit ziemlich troknen Worten sagte: sie möchte, wenigstens um der Leute willen, dem Umgang mit Werthern eine andere Wendung geben, und seine allzuöfteren Besuche abschneiden.

---

[1] Exemplarisch werden die in diesem Abschnitt abgedruckten Auszüge nicht in reformierter Schreibung gesetzt.

Zweite Fassung:

Der Herausgeber an den Leser

Wie sehr wünscht' ich daß uns von den letzten merkwürdigen Tagen unsers Freundes so viel eigenhändige Zeugnisse übrig geblieben wären, daß ich nicht nöthig hätte, die Folge seiner hinterlaßnen Briefe durch Erzählung zu unterbrechen.
Ich habe mir angelegen seyn lassen, genaue Nachrichten aus dem Munde derer zu sammeln, die von seiner Geschichte wohl unterrichtet seyn konnten; sie ist einfach und es kommen alle Erzählungen davon bis auf wenige Kleinigkeiten miteinander überein; nur über die Sinnesarten der handelnden Personen sind die Meinungen verschieden und die Urtheile getheilt.

Was bleibt uns übrig, als dasjenige was wir mit wiederhohlter Mühe erfahren können, gewissenhaft zu erzählen; die von dem Abscheidenden hinterlaßnen Briefe einzuschalten und das kleinste aufgefundene Blättchen nicht gering zu achten; zumal da es so schwer ist, die eigensten wahren Triebfedern auch nur einer einzelnen Handlung zu entdecken, wenn sie unter Menschen vorgeht, die nicht gemeiner Art sind.

Unmuth und Unlust hatten in Werthers Seele immer tiefer Wurzel geschlagen, sich fester unter einander verschlungen und sein ganzes Wesen nach und nach eingenommen. Die Harmonie seines Geistes war völlig zerstört, eine innerliche Hitze und Heftigkeit, die alle Kräfte seiner Natur durcheinander arbeitete, brachte die widrigsten Wirkungen hervor und ließ ihm zuletzt nur eine Ermattung übrig, aus der er noch ängstlicher empor strebte als er mit allen Übeln bisher gekämpft hatte. Die Beängstigung seines Herzens zehrte die übrigen Kräfte seines Geistes, seine Lebhaftigkeit, seinen Scharfsinn auf, er ward ein trauriger Gesellschafter, immer unglücklicher und immer ungerechter, je unglücklicher er ward. Wenigstens sagen dieß Alberts Freunde; sie behaupten, daß Werther einen reinen, ruhigen Mann der nun ein langgewünschtes Glückes theilhaftig geworden und sein Betragen sich dieses Glück auch auf die Zukunft zu erhalten, nicht habe beurtheilen können, er, der gleichsam mit jedem Tage sein ganzes Vermögen verzehrte, um an dem Abend zu leiden und zu darben. Albert, sagen sie, hatte sich in so kurzer 5 Zeit nicht verändert, er war noch immer derselbige, den Werther so vom Anfang her kannte, so sehr schätzte und ehrte. Er liebte Lotten über alles, er war stolz auf sie und wünschte sie auch von jedermann als das herrlichste Geschöpf anerkannt zu wissen. War es ihm daher zu verden- 10 ken, wenn er auch jeden Schein des Verdachtes abzuwenden wünschte, wenn er in dem Augenblicke mit niemand diesen köstlichen Besitz auch auf die unschuldigste Weise zu theilen, Lust hatte? Sie gestehen ein, daß Albert oft das Zimmer seiner Frau verlassen, wenn Werther bey ihr war, 15 aber nicht aus Haß noch Abneigung gegen seinen Freund, sondern nur weil er gefühlt habe, daß dieser von seiner Gegenwart gedruckt sey.

Werke Goethes. Hrsg. v. der Deutschen Akademie der Wissenschaften zu Berlin. Die Leiden des jungen Werthers. Bearbeiter des Bandes: Erna Merker. Berlin: Akademie-Verlag 1954. S. 116 f.

5. Historisch-biografischer Hintergrund

Die entscheidenden Anregungen zu seinem Roman erhielt Goe- 20 *the während seines Aufenthaltes in Wetzlar (1772).*[1]
Die folgenden Materialien vermitteln einen Einblick in den Wirklichkeitsgehalt, den der Autor verarbeitet hat. Neben Goethes eigenen Äußerungen sind die Tagebuchaufzeichnungen und Briefe des Kammergerichtssekretärs Johann Christian Kestner 25 *(1741 – 1800) besonders aufschlussreich.*

Aus einem Briefentwurf Kestners, Frühjahr 1772:

Im Frühjahr kam hier ein gewisser Goethe aus Frankfurt, seiner Hantierung nach Dr. juris, 23 Jahre alt, einziger Sohn eines sehr reichen Vaters, um sich hier – dies war seines 30 Vaters Absicht – in praxi umzusehen, der seinigen nach aber, den Homer, Pindar etc. zu studieren und was sein Genie, seine Denkungsart und sein Herz ihm weiter für Beschäftigungen eingeben würden.

Einer der vornehmsten unserer schönen Geister, Legationssekretär Gotter, beredete mich einst nach Garbenheim, einem Dorf, gewöhnlichem Spaziergang, mit ihm zu gehen. Daselbst fand ich ihn im Grase unter einem Baume auf dem Rücken liegen, indem er sich mit einigen Umstehenden [...] unterhielt.

Er hat sehr viel Talente, ist ein wahres Genie und ein Mensch von Charakter; besitzt eine außerordentlich lebhafte Einbildungskraft, daher er sich meistens in Bildern und Gleichnissen ausdrückt.

Er ist in allen seinen Affekten heftig, hat jedoch oft viel Gewalt über sich. Seine Denkungsart ist edel; von Vorurteilen so viel frei, handelt er, wie es ihm einfällt, ohne sich darum zu bekümmern, ob es andern gefällt, ob es Mode ist, ob es die Lebensart erlaubt. Aller Zwang ist ihm verhasst.
Er liebt die Kinder und kann sich mit ihnen sehr beschäftigen. Er ist bizarr und hat in seinem Betragen, seinem Äußerlichen Verschiedenes, das ihn unangenehm machen könnte. Aber bei Kindern, bei Frauenzimmern und vielen andern ist er doch wohl angeschrieben.

Er hat schon viel getan und viele Kenntnisse, viel Lektüre; aber doch noch mehr gedacht und räsoniert. Aus den schönen Wissenschaften und Künsten hat er sein Hauptwerk gemacht, oder vielmehr aus allen Wissenschaften, nur nicht den sogenannten Brotwissenschaften.

Goethe und Werther. Briefe Goethe's, meistens aus seiner Jugendzeit, mit erläuternden Documenten. Hrsg. von A[ugust] Kestner, Königl. Hannover. Legationsrath, Minister-Resident bei dem Päpstl. Stuhle in Rom. Stuttgart/Tübingen 1854, S. 35 – 38 (gekürzt)

1 vgl. dazu Kapitel 1.1 (Johann Wolfgang Goethe: Stationen seines Lebens)

Charlotte Kestner, geborene Buff. Lithografie von Giere nach einem Pastellbild von J. Heinrich Schröder, 1782

Aus Kestners Tagebuch:

(Ende Juni 1772:) Nachher und wie ich meine Arbeit getan, geh ich zu meinem Mädchen, ich finde den Dr. Goethe da [...] Er liebt sie, und ob er gleich ein Philosoph und mir gut ist, sieht er mich doch nicht gern kommen, um mit mei- 5 nem Mädchen vergnügt zu sein. Und ich, ob ich ihm gleich recht gut bin, so sehe ich doch auch nicht gern, dass er bei meinem Mädchen allein bleiben und sie unterhalten soll.
9. August. Morgens ging ich mit dem Dr. Goethe dem Lottchen entgegen. Sie begegnete uns jenseits Garbenheim [...] 10 Nachmittags waren wir wieder bei ihr, lasen im Garten ... unterhielten uns [...] Dann ging ich mit Goethe nach Garbenheim [...] Unterwegs handelten wir ein ganzes System von des Menschen Bestimmung hier und dort ab; eine merkwürdige, wichtige Unterredung. 15
15. August [...] Ich ging mit Goethe noch nachts bis 12 Uhr auf der Gasse spazieren. Merkwürdiges Gespräch, da er voll Unmut war und allerhand Fantasien hatte, worüber

Der Deutschordenshof in Wetzlar, Holzstich nach Zeichnung von Karl Rickelt, um 1885?

wir am Ende im Mondschein an eine Mauer gelehnt lachten.

16. August. Bekam Goethe von Lottchen gepredigt: sie deklariert ihm, dass er nichts als Freundschaft hoffen dürfe; er ward blass und sehr niedergeschlagen.

10. September. Mittags aß Dr. Goethe bei mir im Garten. Ich wusste nicht, dass es das letzte Mal war [...] Abends kam Dr. Goethe nach dem Deutschen Hause. Er, Lottchen und ich hatten ein merkwürdiges Gespräch von dem Zustand nach diesem Leben, vom Weggehen und Wiederkommen usw. –, welches nicht er, sondern Lottchen anfing. Wir machten miteinander aus, wer zuerst von uns stürbe, sollte, wenn er könnte, den Lebenden Nachricht von dem Zustande jenes Lebens geben. Goethe wurde ganz niedergeschlagen, denn er wusste, dass er am andern Morgen weggehen wollte.

11. September. Morgens um 7 Uhr ist Goethe weggereiset, ohne Abschied zu nehmen [...] Unter den Kindern im Deutschen Hause sagte jedes: „Doktor Goethe ist fort!" [...] Nachmittags brachte ich die Billetts von Goethe an Lottchen. Sie war betrübt über seine Abreise, es kamen ihr die Tränen beim Lesen in die Augen. Doch war es ihr lieb, dass er fort war, da sie ihm das nicht geben konnte, was er wünschte [...] Wir sprachen nur von ihm. Ich konnte auch nicht anders als an ihn denken, verteidigte die Art seiner Abreise, welche von einem Unverständigen getadelt wurde.

12. September. Nach dem Essen begleitete ich Lottchen bis gegen Garbenheim [...] Auf dem Berge sah ich ihr mit dem Perspektiv nach, ich sah sie mit einer Bauersfrau unterwegs, die bei ihr still stand. Es war des Dr. Goethe Freundin in Garbenheim, eine Frau, welche ziemlich gut aussieht, eine freundliche unschuldige Miene hat und gut, jedoch ganz ohne Kunst reden kann; sie hat drei Kinder, welchen Dr. Goethe oft etwas mitbrachte, daher sie ihn lieb hatten, die Frau sah ihn auch gern.

Goethes Werke. Hamburger Ausgabe in 14 Bänden. Hrsg. v. Erich Trunz. Bd. 6. Textkrit. durchges. von Erich Trunz, komm. von E. T. und Benno von Wiese. Hamburg: Wegner 1951. 10., neubearb. Aufl. München: C. H. Beck 1981, S. 517–520 (gekürzt)

Goethes brieflicher Abschied an Lotte, 11. September 1772:

Wohl hoff ich wiederzukommen, aber Gott weiß, wann. Lotte, wie war mir's bei deinem Reden ums Herz, da ich wusste, es ist das letzte Mal, dass ich Sie sehe. Nicht das letzte Mal, und doch geh ich morgen fort. Fort ist er. Welcher Geist brachte euch auf den Diskurs. Da ich alles sagen durfte, was ich fühlte, auch mir war's um Hienieden zu tun, um Ihre Hand, die ich zum letzten Mal küsste. Das Zimmer, in das ich nicht wiederkehren werde, und der liebe Vater, der mich zum letzten Mal begleitete. Ich bin nun allein und darf weinen, ich lasse euch glücklich und gehe nicht aus euren Herzen. Und sehe euch wieder, aber nicht morgen ist nimmer. Sagen Sie meinen Buben, er ist fort. Ich mag nicht weiter.

Goethe und Werther. Briefe Goethe's, meistens aus seiner Jugendzeit, mit erläuternden Documenten. Hrsg. von A[ugust] Kestner, Königl. Hannover. Legationsrath, Minister-Resident bei dem Päpstl. Stuhle in Rom. Stuttgart/Tübingen 1854, S. 45

Kestners Bericht über Jerusalem an Goethe, November 1772:

Jerusalem ist die ganze Zeit seines hiesigen Aufenthalts missvergnügt gewesen, es sei nun überhaupt wegen der Stelle, die er hier bekleidete, und dass ihm gleich anfangs (bei Graf Bassenheim) der Zutritt in den großen Gesellschaften auf eine unangenehme Art versagt worden oder insbesondere wegen des braunschweigischen Gesandten, mit dem er bald nach seiner Ankunft kundbar heftige Streitigkeiten hatte, die ihm Verweise vom Hofe zuzogen und noch weitere verdrießliche Folgen für ihn gehabt haben. Er wünschte längst und arbeitete daran, von hier wieder wegzukommen: sein hiesiger Aufenthalt war ihm verhasst.
Neben dieser Unzufriedenheit war er auch in des pfälz. Sekret. H... Frau verliebt. Ich glaube nicht, dass diese zu dergleichen Galanterien[1] aufgelegt ist, mithin, da der Mann noch dazu sehr eifersüchtig war, musste diese Liebe vollends seiner Zufriedenheit und Ruhe den Stoß geben.

---

[1] hier: auf Verliebtheit beruhende (zuvorkommende) Verhaltensweisen

Er entzog sich allezeit der menschlichen Gesellschaft und den übrigen Zeitvertreiben und Zerstreuungen, liebte einsame Spaziergänge im Mondenscheine, ging oft viele Meilen weit und hing da seinem Verdruss und seiner Liebe ohne Hoffnung nach.
Er las viel Romane und hat selbst gesagt, dass kaum ein Roman sein würde, den er nicht gelesen hätte. Die fürchterlichsten Trauerspiele waren ihm die liebsten. Er las ferner philosophische Schriftsteller mit großem Eifer und grübelte darüber. Er hat auch verschiedene philosophische Aufsätze gemacht [...]; unter andern auch einen besondern Aufsatz, worin er den Selbstmord verteidigte. Oft beklagte er sich [...] über die engen Grenzen, welche dem menschlichen Verstande gesetzt wären, wenigstens dem seinigen; er konnte äußerst betrübt werden, wenn er davon sprach, was er wissen möchte, was er nicht ergründen können etc.
Diesen Nachmittag (mittwochs) ist Jerusalem allein bei H...s gewesen, was da vorgefallen, weiß man nicht; vielleicht liegt hierin der Grund zum Folgenden.
Schickt um 1 Uhr ein Billett[1] an mich und zugleich an seinen Gesandten, worin er diesen ersucht, ihm auf diesen (oder künftigen) Monat sein Geld zu schicken. Der Bediente kommt zu mir. Ich bin nicht zu Hause. Es mochte 1/24 Uhr sein, als ich das Billet bekam:
‚Dürfte ich Ew. Wohlgeb. wohl zu einer vorhabenden Reise um Ihre Pistolen gehorsamst ersuchen? J.'
Da ich nun von alledem vorher Erzählten und von seinen Grundsätzen nichts wusste, indem ich nie besonderen Umgang mit ihm gehabt – so hatte ich nicht den mindesten Anstand, ihm die Pistolen sogleich zu schicken.
Den ganzen Nachmittag war Jerusalem für sich allein beschäftigt, kramte in seinen Papieren, schrieb, ging, wie die Leute unten im Hause gehört, oft im Zimmer heftig auf und nieder. Er ist auch verschiedene Male ausgegangen, hat seine kleinen Schulden, und wo er nicht auf Rechnung ausgenommen, bezahlt.

1 kurzes Briefchen

Da nun Jerusalem allein war, scheint er alles zu der schrecklichen Handlung vorbereitet zu haben. Er hat seine Briefschaften alle zerrissen und unter den Schreibtisch geworfen, wie ich selbst gesehen. Er hat zwei Briefe, einen an seine Verwandte, den andern an H... geschrieben. 5
Nach diesen Vorbereitungen, etwa gegen 1 Uhr, hat er sich denn über das rechte Augen hinein durch den Kopf geschossen. Man findet die Kugel nirgends. Niemand im Hause hat den Schuss gehört, sondern der Franziskaner Pater Guardian, der auch den Blitz vom Pulver gesehen, weil es 10 aber stille geworden, nicht darauf geachtet hat. Der Bediente hatte die vorige Nacht wenig geschlafen und hat sein Zimmer weit hinten hinaus, wie auch die Leute im Haus, welche unten hinten hinaus schlafen.
Es scheint sitzend im Lehnstuhl vor seinem Schreibtisch 15 geschehen zu sein. Der Stuhl hinten im Sitz war blutig, auch die Armlehnen. Darauf ist er vom Stuhle heruntergesunken, auf der Erde war noch viel Blut. (Er war in völliger Kleidung, gestiefelt, im blauen Rock mit gelber Weste.)
Morgens vor 6 Uhr geht der Bediente zu seinem Herrn 20 ins Zimmer, ihn zu wecken. Das Licht war ausgebrannt, es war dunkel, er sieht Jerusalem auf der Erde liegen [...], ruft: Mein Gott, Herr Assessor, was haben Sie angefangen; schüttelt ihn, er gibt keine Antwort und röchelt nur noch. Er läuft zu Medicis und Wundärzten. Sie kommen, es war 25 aber keine Rettung. Dr. Held erzählt mir, als er zu ihm gekommen, habe er auf der Erde gelegen, der Puls noch geschlagen; doch ohne Hülfe. Die Glieder alle wie gelähmt, weil das Gehirn lädiert, auch herausgetreten gewesen; zum Überflusse habe er ihm eine Ader am Arm geöffnet. 30
[...]
Das Gerücht von dieser Begebenheit verbreitete sich schnell; die ganze Stadt war in Schrecken und Aufruhr. Ich hörte es erst um 9 Uhr, meine Pistolen fielen mir ein, und ich weiß nicht, dass ich kurzens so sehr erschrocken bin. Ich zog mich 35 an und ging hin. Er war auf das Bett gelegt, die Stirne bedeckt, sein Gesicht schon wie eines Toten.
Von dem Wein hatte er nur ein Glas getrunken. Hin und wieder lagen Bücher und von seinen eignen schriftlichen Aufsätzen. „Emilia Galotti“ lag auf einem Pult am Fenster 40

aufgeschlagen; daneben ein Manuskript, ohngefähr Fingerdick in Quart, philosophischen Inhalts, der erste Teil oder Brief war überschrieben: *Von der Freiheit*[1].
Gegen 12 Uhr starb er. Abends 3/4 11 Uhr ward er auf dem
5 gewöhnlichen Kirchhof begraben [...] in der Stille mit 12 Laternen und einigen Begleitern; Barbiergesellen haben ihn getragen; das Kreuz ward vorausgetragen; kein Geistlicher hat ihn begleitet.

Goethe und Werther. Briefe Goethe's, meistens aus seiner Jugendzeit, mit erläuternden Documenten. Hrsg. von A[ugust] Kestner, Königl. Hannover. Legationsrath, Minister-Resident bei dem Päpstl. Stuhle in Rom. Stuttgart/Tübingen 1854, S. 86–99 (gekürzt)

Goethe an Kestner, 28. November 1772:

10 Ich dank Euch, lieber Kestner, für die Nachricht von des armen Jerusalems Tod, sie hat uns herzlich interessiert. Ihr sollt sie wiederhaben, wenn sie abgeschrieben ist [...] Gestern fiel mir ein, an Lotten zu schreiben. Ich dachte aber, alle ihre Antwort ist doch nur: Wir wollen's gut sein las-
15 sen. Und erschießen mag ich mich vor der Hand noch nicht.

Goethes Werke. Hamburger Ausgabe in 14 Bänden. Hrsg. v. Erich Trunz. Bd. 6. Textkrit. durchges. von Erich Trunz, komm. von E. T. und Benno von Wiese. Hamburg: Wegner 1951. 10., neubearb. Aufl. München: C. H. Beck 1981, S. 520

Goethe: „Dichtung und Wahrheit" III, 13 (1814) (Auszug)

Von 1811 an schrieb Johann Wolfgang Goethe an seiner Autobiografie „Aus meinem Leben" mit dem Untertitel „Dichtung
20 *und Wahrheit", die von 1749 bis 1775 (Abreise nach Weimar) reicht. Die ersten drei Teile dieser Selbstdarstellung erschienen 1811–14, der vierte Teil nach Goethes Tod, 1833.*

Ich hatte mich äußerlich völlig isoliert, ja die Besuche meiner Freunde verbeten, und so legte ich auch innerlich alles
25 beiseite, was nicht unmittelbar hierher gehörte. Dagegen fasste ich alles zusammen, was einigen Bezug auf meinen

---

[1] Jerusalems Aufsatz „Von der Freiheit" wurde am 25. Dezember 1772 in den „Frankfurter Gelehrten Anzeigen" (abwertend) rezensiert.

Vorsatz hatte, und wiederholte mir mein nächstes Leben, von dessen Inhalt ich noch keinen dichterischen Gebrauch gemacht hatte. Unter solchen Umständen, nach so langen und vielen geheimen Vorbereitungen, schrieb ich den „Werther" in vier Wochen, ohne dass ein Schema des Ganzen oder die Behandlung eines Teils irgend vorher wäre zu Papier gebracht gewesen.
Da ich dieses Werklein ziemlich unbewusst, einem Nachtwandler ähnlich, geschrieben hatte, so verwunderte ich mich selbst darüber, als ich es nun durchging, um daran etwas zu ändern und zu bessern. Doch in Erwartung, dass nach einiger Zeit, wenn ich es in gewisser Entfernung besähe, mir manches beigehen würde, das noch zu seinem Vorteil gereichen könnte, gab ich es meinen jüngeren Freunden zu lesen, auf die es eine desto größere Wirkung tat, als ich, gegen meine Gewohnheit, vorher niemandem davon erzählt noch meine Absicht entdeckt hatte. Freilich war es hier abermals der Stoff, der eigentlich die Wirkung hervorbrachte, und so waren sie gerade in einer der meinigen entgegengesetzten Stimmung: Denn ich hatte mich durch diese Komposition, mehr als durch jede andere, aus einem stürmischen Elemente gerettet, auf dem ich durch eigne und fremde Schuld, durch zufällige und gewählte Lebensweise, durch Vorsatz und Übereilung, durch Hartnäkkigkeit und Nachgeben auf die gewaltsamste Art hin- und widergetrieben worden. Ich fühlte mich, wie nach einer Generalbeichte, wieder froh und frei und zu einem neuen Leben berechtigt. Das alte Hausmittel war mir diesmal vortrefflich zustatten gekommen. Wie ich mich nun aber dadurch erleichtert und aufgeklärt fühlte, die Wirklichkeit in Poesie verwandelt zu haben, so verwirrten sich meine Freunde daran, indem sie glaubten, man müsse die Poesie in Wirklichkeit verwandeln, einen solchen Roman nachspielen und sich allenfalls selbst erschießen; und was hier im Anfang unter wenigen vorging, ereignete sich nachher im großen Publikum, und dieses Büchlein, was mir so viel genützt hatte, ward als höchst schädlich verrufen. [...]
Die Wirkung dieses Büchleins war groß, ja ungeheuer, und vorzüglich deshalb, weil es genau in die rechte Zeit traf. Denn wie es nur eines geringen Zündkrauts bedarf, um ei-

ne gewaltige Mine zu entschleudern, so war auch die Explosion, welche sich hierauf im Publikum ereignete, deshalb so mächtig, weil die junge Welt sich schon selbst untergraben hatte, und die Erschütterung deswegen so groß, weil ein jeder mit seinen übertriebenen Forderungen, unbefriedigten Leidenschaften und eingebildeten Leiden zum Ausbruch kam. Man kann von dem Publikum nicht verlangen, dass es ein geistiges Werk geistig aufnehmen solle. Eigentlich ward nur der Inhalt, der Stoff beachtet, wie ich schon an meinen Freunden erfahren hatte, und daneben trat das alte Vorurteil wieder ein, entspringend aus der Würde eines gedruckten Buchs, dass es nämlich einen didaktischen Zweck haben müsse. Die wahre Darstellung aber hat keinen. Sie billigt nicht, sie tadelt nicht, sondern sie entwickelt die Gesinnungen und Handlungen in ihrer Folge, und dadurch erleuchtet und belehrt sie.

Goethes Werke. Hamburger Ausgabe in 14 Bänden. Hrsg. v. Erich Trunz. Bd. 9, Textkrit. durchges. von Erich Trunz, komm. von E.T. und Benno von Wiese. Hamburg: Wegner 1951. 10., neubearb. Aufl. München: C. H. Beck 1981, S. 587 ff.

II. Epochenumbruch: Aufklärung – Empfindsamkeit – Sturm und Drang

Johann Wolfgang Goethes „Werther"-Roman erschien in einer Zeit eines Epochenumbruchs, der unsere heutige Welt wesentlich mitgeprägt hat. In diesem Kapitel lernen Sie Grundzüge dieses Epochenumbruchs kennen und erhalten einen Einblick in die Aufklärung, die Empfindsamkeit und den Sturm und Drang – auch anhand literarischer Texte aus diesen drei Epochen. Damit Ihrem Urteil nicht vorgegriffen wird, sind diese Texte nicht einzelnen Epochen zugeordnet, sondern in chronologischer Reihenfolge abgedruckt.

1. Grundzüge des Epochenumbruchs im 18. und beginnenden 19. Jahrhundert

Das 18. und das beginnende 19. Jahrhundert ist die Zeit des großen Epochenumbruchs in West- und Mitteleuropa. Vorbereitet durch den Erneuerungsschub um 1500, erfolgt jetzt der entscheidende Entwicklungsschritt hin zu unserer heutigen Welt. Die bürgerliche Gesellschaft mit ihren Forderungen nach Chancengleichheit sowie Freiheit im Denken und wirtschaftlichen Handeln löst die alte, ständisch gegliederte, von der Kirche und ihrer geistigen Vormundschaft geleitete Gesellschaft ab, wenn auch noch nicht überall eine bürgerliche Staatsverfassung erreicht wird.

Die politische Entwicklung

Das zentrale Ereignis dieser Epoche war die **Französische Revolution**, die 1789 ausbrach. Sie hatte nachhaltige Wirkungen auf Deutschland, wo sie von vielen bürgerlichen Intellektuellen zunächst begeistert begrüßt wurde. Zumindest zeitweilig schuf sie eine Verunsicherung der absolutistisch regierenden Fürsten, deren Heere zunächst von den Volkstruppen der Revolution und dann von Napoleons Armeen geschlagen wurden. Zur bürgerlich-demokratischen Umwälzung, wie sie in Frankreich in den Etappen 1789, 1830 (Julirevolution) und 1848 (Februarrevolution) gelang, kam es in Deutschland indessen nicht, der späte Versuch 1848/49 scheiterte. Deutschland war zerrissen durch die Vielzahl der Klein- und Kleinststaaten territorialer Fürstentümer, außerdem in Kapitalbildung und technisch-industrieller Produktionsweise gegenüber England und Frankreich zurückgeblieben und so fand das deutsche Bürgertum nicht die Kraft zum politischen Umsturz. Die Revolution in Deutschland spielte sich vor allem auf dem Papier ab, blieb auf Philosophie und Literatur beschränkt.

Das bürgerliche Selbstbewusstsein

Dem Standesdünkel des Adels, der in der Welt des französischen Königshofs von Versailles sein gesellschaftliches Ideal sah, setzte das Bürgertum seinen eigenen Welt-, Gesellschafts- und Lebensentwurf entgegen. Nicht die durch Herkunft und Geblüt ererbten Privilegien machen für den Bürger den Wert des Menschen aus; er entwickelt sein modernes Ich-Bewusstsein als selbstbestimmtes Subjekt aus der Entfaltung seiner intellektuellen, psychischen und physischen Fähigkeiten. Vom Individuum der Aufklärung, das sich eines eigenen Verstandes zu bedienen wagt, über das Genie des Sturm und Drang und die allseitig gebildete Persönlichkeit der Klassik bis zum hochstilisierten Ich der Romantik lässt sich dies neue Bewusstsein verfolgen, das sich auch in den politischen Forderungen des Vormärz nach demokratischeren Staats- und Gesellschaftsformen niederschlug. Dazu gehörte auch ein moralisches Überlegenheitsgefühl gegenüber dem Adel. Das freie Ich des von Natur aus guten Menschen kann und wird überall die Tugenden üben und unterscheidet sich darin von dem durch widernatürliche Zwänge deformierten Höfling, dessen Lasterhaftigkeit die bürgerlichen Schriftsteller immer wieder anprangerten.

Entwicklungstendenzen der Literatur

Freiheit und Autonomie werden auch für die Literatur gefordert. Sie soll in keinem Dienst mehr stehen, weder in dem eines Fürsten zur Unterhaltung der Hofgesellschaft noch in dem der Kirche. Sie wendet sich nicht an einen bestimmten Stand oder an eine begrenzte Gemeinde, sondern prinzipiell an alle Menschen. In der Aufklärung und der Klassik orientiert man sich zwar noch an den tradierten Normen und Regeln, überprüft sie aber auf ihre Funktion für die Aussage hin. In der literarischen Bewegung des Sturm und Drang werden all diese Normen und Regeln gänzlich verworfen. Kunst wird jetzt nicht länger als der von „Können" abgeleitete Begriff für die möglichst vollendete Beherrschung vorgegebener Formen verstanden, sondern ist der angemessene und wirkungsvolle Ausdruck der Botschaft des Künstlerindividuums.

Neue Ausdrucksweisen und Formmöglichkeiten entwickeln sich damit in unübersehbarer Vielfalt. Literarische Qualität bestimmt sich nicht mehr nach den Vorschriften von Poetiken (Lehrbüchern der Poesie), sondern nach der Wirkung, die durch das Zusammenspiel von Inhalt und Form erreicht wird.

Leser/innen sind freilich vorerst nur die wohlhabenden und gebildeten Bürger der Stadt. Nur 25 % der Bevölkerung können um 1800 lesen, eine Zahl, die aber dank der allgemeinen Schulpflicht stetig wächst. Die Existenz eines freien Schriftstellers ist auf dieser Basis noch nicht möglich. Die literarische Produktion der Autoren wird häufig erheblich eingeschränkt durch die Anforderungen eines neben dem Schreiben ausgeübten bürgerlichen Berufs, ganz zu schweigen davon, dass sie noch den Repressionen der Zensur unterworfen ist, die in unterschiedlichen Formen in den einzelnen deutschen Territorien angewandt wird.

Hatten Frauen vor allem als Leserinnen von Belletristik seit dem Mittelalter einen wesentlichen Anteil an dem sich entwickelnden literarischen Leben, so traten sie jetzt zunehmend auch als Vermittlerinnen und Produzentinnen von Literatur hervor. In den Lese- und Gesprächszirkeln der sogenannten Salons intellektueller Bürgerinnen trafen sich Philosophen, Künstler, Literaten und Verleger, und einzelnen Frauen gelang es auch, als Autorinnen an die Öffentlichkeit zu kommen: Mit der „Geschichte des Fräuleins von Sternheim" der SOPHIE VON LA ROCHE erscheint 1771

der erste bedeutende Frauenroman. RAHEL VARNHAGEN, KAROLINE VON GÜNDERODE, BETTINA VON ARNIM und andere publizieren Gedichtanthologien, Briefsammlungen, Reisebilder und sozialkritische Schriften. Engagierte Schriftstelle-
5 rinnen des Vormärz bringen zum ersten Mal die Frage nach der Emanzipation der Frau auf die Tagesordnung der literarischen Öffentlichkeit.

Heinrich Biermann/Bernd Schurf (Hrsg.): Texte, Themen und Strukturen. Deutschbuch für die Oberstufe. Berlin: Cornelsen Verlag 1999, S. 206f.

2. Epochenüberblick: Aufklärung (1720 – 1800) – Empfindsamkeit (1740 – 1780) – Sturm und Drang (1765 – 1785)

Mit der Einsicht, dass der Mensch als Individuum und als denkendes Wesen zu definieren sei („cogito ergo sum" – ich denke, also bin ich), hatte der französische Philosoph RENÉ DESCARTES (1596 – 1650) der **Aufklärung** eine ge-
15 dankliche Begründung gegeben. Die Verstandesfähigkeit ist eng mit der Sprachfähigkeit verbunden. Denken und sprechen zu können, unterscheidet die menschlichen von anderen Wesen. Beide Fähigkeiten müssen aber gelernt und ausgebildet werden. Die neue bürgerliche Gesellschaft des
20 18. Jahrhunderts setzte auf Vernunft, Bildung und Erziehung. Klare Begriffe und logisches Denken waren deren Ziel. Mit ihrer Hilfe sollte auch die **Emanzipation** der Menschen aus religiöser dogmatischer Bevormundung vorangetrieben werden. Von dem deutschen Philosophen IM-
25 MANUEL KANT (1724 – 1804) stammte die Aufforderung: „Habe Mut, dich deines eigenen Verstandes zu bedienen." – Die prinzipielle Ausrichtung der bürgerlichen Gesellschaft auf Vernunft und vorurteilsfreie Argumentation führte indes nicht geradlinig in eine bessere Zukunft für alle.
30 Im Gegenteil, Verstand, klare Sprache, logisches Denken und umsichtiges Planen wurden auch zu Formen von Herrschaft und Unterdrückung missbraucht. In den Städten und Kirchen entstanden Rituale und Reglementierungen, an den Fürstenhöfen Verwaltungen, Militär- und Hof-
35 zeremonielle, die Abhängigkeiten in höchstem Maße

rational ordneten und die dennoch menschenverachtend und unvernünftig waren. Gegen diese Form der Verplanung von Menschen als Soldaten, Beamte oder gewerbetreibende Bürger wandte sich die **bürgerliche Gefühlskultur.** Sie hatte einen religiösen Ursprung. Die dogmatische Enge in den Amtskirchen führte vor allem im Protestantismus zu einer alternativen Art der Frömmigkeit, der Strömung des Pietismus. Das menschliche Herz, die Fähigkeit zu fühlen und zu empfinden, standen im Mittelpunkt. Eine neue Sprache des Herzens entstand, zuerst in Kirchenliedern, dann auch in der weltlichen Literatur der Zeit der **Empfindsamkeit.** Wörter wie „Selbsterfahrung", „Lebensstrom", „Gemütlichkeit", „überfließen", „einschreiben", „zärtlich", „berührt" stammten aus dem Wortschatz des Pietismus. Hinzu kam eine Vielzahl von metaphorischen Verwendungen von Begriffen („Mutter Natur", „Tor des Herzens", „Meer der Empfindungen", „Sturm der Begeisterung") und Wendungen, die der Intensität des Gefühls Ausdruck verliehen.
Die Literatur griff diese Impulse auf und übertrug sie auf die diesseitige Welt der Stimmungen und Leidenschaften. Der junge Goethe schuf aus diesem Arsenal der Gefühlsbegriffe auch neue Wörter, z.B. „Knabenmorgenblütenträume" („Prometheus"[1]). Die säkularisierte Empfindsamkeit bildete die Basis der gefühlsbetonten Selbstwahrnehmung der jungen Generation der **Stürmer und Dränger**. Die Kultur der Affekte ist in ihrem Geniekult gebunden an die Fähigkeit herausragender Einzelpersönlichkeiten, Begeisterung (Enthusiasmus) für etwas Bedeutsames, Wertvolles, Großes zu empfinden, die Natur, Liebe und Freundschaft, Poesie und Kunst, das Vaterland oder eine zukünftige, bessere Welt. Der Begriff „Sturm und Drang" stammt vom Titel eines Dramas des Goethe-Freunds MAXIMILIAN KLINGER (1752–1831), in dem sich ein tugendhafter junger Mann kraftgenialisch gegen die verkrustete Gesellschaft der Vätergeneration auflehnt. Er bezeichnet treffend die leidenschaftliche Sprache der Zeit: übersteigerte Gefühlsausbrüche, revolutionäre Reden gegen

[1] siehe Kapitel II. 3

das „tintenklecksende Säkulum“ (Schiller), auf „Gedankenfreiheit“ und „Selbstentfaltung“ abzielende philosophische Begriffe wie das „Ursprüngliche“, „Schöpferische“, die „Kraft“ und das „Genie“ prägten die Vorstellung vom Menschen als einem „frei handelnden, selbstständigen, gottähnlichen“ (JAKOB MICHAEL REINHOLD LENZ, 1751 – 1792) Wesen. Die Begeisterung der jungen Autoren für antike Helden (Prometheus, Herkules) und für Shakespeares große Dramengestalten, die sich in den eigenen Werken spiegelt, ist eine Folge dieser Konzeption des Menschen als des großen Individuums, des Einzelnen als Persönlichkeit.

Heinrich Biermann/Bernd Schurf (Hrsg.): Texte, Themen und Strukturen. Deutschbuch für die Oberstufe. Berlin: Cornelsen Verlag 1999, S. 232f.

Die Ausbildung einer bürgerlichen Kultur in der zweiten Hälfte des 18. Jahrhunderts

- Aufbruch der bürgerlichen Gesellschaft durch Verstandeskultur (**Aufklärung**)
- Entfaltung der bürgerlichen Familien/Freundschaft durch Gefühlskultur (**Empfindsamke**
- Geistige und politische Emanzipation des bürgerlichen Ich-Bewusstseins (**Sturm und Dra**

1750

Gotthold Ephraim Lessing (1729–1781)

Johann Wolfgang Goethe (1749–1832)

Christian Fürchtegott Gellert (1715–1769): Fabeln und Erzählungen (1746/48)

1760

Friedrich Schiller (1759–18

Friedrich Gottlieb Klopstock (1724–1803): Der Messias (1748–1773)

Gotthold Ephraim Lessing: Hamburgische Dramaturgie (1767–69)
Minna von Barnhelm (1767)

1770

G. E. Lessing: Emilia Galotti (1772)

Johann Wolfgang Goethe: Götz von Berlichingen (1773)
Prometheus (1774)
Ganymed (1774)
Die Leiden des jungen Werthers (1774)

Friedrich Nicolai (1733–1811): Die Freuden des jungen Werthers (1775)

1775

Matthias Claudius (1740–1815): Der Wandsbecker Bote (1771–1775)

Jakob Michael Reinhold Lenz (1751–1792): Der Hofmeister (17
Die Soldaten (1776)

Friedrich Leopold Graf zu Stolberg (1750–1819): Über die Fülle des Herzens (1778)

G. E. Lessing: Nathan der Weise (1779)

1780

Christoph Martin Wieland (1733–1813): Die Abderiten (1774/80)

Friedrich Schiller: Die Räuber (1781)
Kabale und Liebe (1784)

Immanuel Kant (1724–1804): Beantwortung der Frage: Was ist Aufklärung (1784)

Christian Friedrich Daniel Schubart: (1739–1791) Die Fürstengruft (1785/86)

Karl Philipp Moritz (1756–1793): Anton Reiser (1785/90)

1785

3. Literarische Texte des 18. Jahrhunderts

Gotthold Ephraim Lessing: Herkules[1] (1759)

Als *Herkules* in den Himmel aufgenommen ward, machte er seinen Gruß unter allen Göttern der *Juno*[2] zuerst. Der ganze Himmel und *Juno* erstaunte darüber. Deiner Feindin, rief man ihm zu, begegnest du so vorzüglich? Ja, ihr selbst; erwiderte *Herkules*. Nur ihre Verfolgungen sind es, die mir zu den Taten Gelegenheit gegeben, womit ich den Himmel verdient habe.
Der Olymp billigte die Antwort des neuen Gottes, und Juno ward versöhnt.

Gotthold Ephraim Lessing: Werke. Hrsg. v. Herbert G. Göpfert, Bd. 1. München: Carl Hanser Verlag 1970, S. 244

Friedrich Gottlieb Klopstock:--Dem Unendlichen (1770)

Friedrich Gottlieb Klopstock. Ölporträt von Johann Heinrich Tischbein

Wie erhebt sich das Herz, wenn es dich,
Unendlicher, denkt! wie sinkt es,
Wenn's auf sich herunterschaut!
Elend schaut's wehklagend dann, und Nacht und Tod!

---

[1] (griech. Herakles; der Name bedeutet: der durch Hera Berühmte) Sohn von Zeus und Alkmene

[2] lat. für Hera, Gattin des Zeus: Sie wollte die Untreue ihres Mannes an Herkules rächen und erreichte durch eine Intrige, dass Herkules erst große Heldentaten vollbringen musste, bevor er als Halbgott in den Olymp aufgenommen wurde.

Allein du rufst mich aus meiner Nacht, der im Elend, der im Tod hilft!
Dann denk ich es ganz, dass du ewig mich schufst,
Herrlicher! den kein Preis, unten am Grab', oben am
5 Thron,
Herr, Herr, Gott! den dankend entflammt kein Jubel genug besingt.

Weht, Bäume des Lebens, ins Harfengetön!
Rausche mit ihnen ins Harfengetön, kristallner Strom![1]
10 Ihr lispelt, und rauscht, und, Harfen, ihr tönt
Nie es ganz! Gott ist es, den ihr preist!

Donnert, Welten, in feierlichem Gang, in der Posaunen Chor!
Du Orion, Waage[2], du auch!
15 Tönt all' ihr Sonnen auf der Straße voll Glanz,
In der Posaunen Chor!

Ihr Welten, donnert
Und du, der Posaunen Chor, hallest
Nie es ganz, Gott; nie es ganz, Gott,
20 Gott, Gott ist es, den ihr preist!

Friedrich Gottlieb Klopstock: Ausgewählte Werke. Hrsg. v. Karl August Schleiden, München: Carl Hanser 1962, S. 100f.

Johann Wolfgang Goethe: Es schlug mein Herz. Geschwind, zu Pferde! (1771)

Es schlug mein Herz. Geschwind, zu Pferde!
Und fort, wild wie ein Held zur Schlacht.
25 Der Abend wiegte schon die Erde,
Und an den Bergen hing die Nacht.
Schon stund im Nebelkleid die Eiche
Wie ein getürmter Riese da,
Wo Finsternis aus dem Gesträuche
30 Mit hundert schwarzen Augen sah.

1 vgl. Offenbarung 22,1ff.
2 Sternbilder

Der Mond von einem Wolkenhügel
Sah schläfrig aus dem Duft hervor,
Die Winde schwangen leise Flügel,
Umsausten schauerlich mein Ohr.
Die Nacht schuf tausend Ungeheuer, 5
Doch tausendfacher war mein Mut,
Mein Geist war ein verzehrend Feuer,
Mein ganzes Herz zerfloss in Glut.

Ich sah dich, und die milde Freude
Floss aus dem süßen Blick auf mich. 10
Ganz war mein Herz an deiner Seite,
Und jeder Atemzug für dich.
Ein rosenfarbes Frühlingswetter
Lag auf dem lieblichen Gesicht
Und Zärtlichkeit für mich, ihr Götter, 15
Ich hofft' es, ich verdient' es nicht.

Der Abschied, wie bedrängt, wie trübe!
Aus deinen Blicken sprach dein Herz.
In deinen Küssen welche Liebe,
O welche Wonne, welcher Schmerz! 20
Du gingst, ich stund und sah zur Erden
Und sah dir nach mit nassem Blick.
Und doch, welch Glück, geliebt zu werden,
Und lieben, Götter, welch ein Glück!

Goethes Werke: Hamburger Ausgabe. Hrsg. v. Erich Trunz. Band 1. München: C. H. Beck 1981, S. 28ff.

Gotthold Ephraim Lessing: Emilia Galotti (1772) 25

Der Prinz von Guastalla liebt Emilia Galotti, die bürgerliche Tochter eines Obersts. Als er erfährt, dass ihre Hochzeit mit dem Grafen Appiani unmittelbar bevorsteht, steigert sich seine Leidenschaft. Mit unausgesprochener Billigung des Prinzen entwickelt sein Kammerherr Marinelli eine brutale Intrige. Dabei 30 *kommt der Graf um und Emilia gerät in die Gewalt des Prinzen. Die ehemalige Geliebte des Prinzen, die Gräfin Orsina, gibt Emilias Vater, dem Obersten Odoardo Galotti, einen Dolch, mit dem er den Prinzen töten soll, um den Tod des Schwiegersohns und die Demütigungen der Frauen zu rächen. Statt des Prinzen* 35 *erstícht Odoardo Galotti jedoch seine Tochter. Über die Motive für dieses „Opfer“ gibt der folgende Auszug aus dem letzten Akt des Dramas Aufschluss.*

Siebenter Auftritt

5 *Emilia. Odoardo*

EMILIA. Wie? Sie hier, mein Vater? – Und nur Sie? – Und meine Mutter? nicht hier? – Und der Graf? nicht hier? – Und Sie so unruhig, mein Vater?

ODOARDO. Und du so ruhig, meine Tochter?

10 EMILIA. Warum nicht, mein Vater? – Entweder ist nichts verloren: oder alles. Ruhig sein können, und ruhig sein müssen: kömmt es nicht auf eines?

ODOARDO. Aber, was meinest du, dass der Fall ist?

EMILIA. Dass alles verloren ist; – und dass wir wohl ruhig 15 sein müssen, mein Vater.

ODOARDO. Und du wärest ruhig, weil du ruhig sein musst? – Wer bist du? Ein Mädchen? und meine Tochter? So sollte der Mann, und der Vater sich wohl vor dir schämen? – Aber lass doch hören: Was nennest du, alles verloren? 20 – dass der Graf tot ist?

EMILIA. Und warum er tot ist! Warum! – Ha, so ist es wahr, mein Vater? So ist sie wahr, die ganze schreckliche Geschichte, die ich in dem nassen und wilden Auge meiner Mutter las? – Wo ist meine Mutter? Wo ist sie hin, mein 25 Vater?

ODOARDO. Voraus; – wann wir anders ihr nachkommen.

EMILIA. Je eher, je besser. Denn wenn der Graf tot ist; wenn er darum tot ist – darum! was verweilen wir noch hier? Lassen Sie uns fliehen, mein Vater!

30 ODOARDO. Fliehen? – Was hätt es dann für Not? – Du bist, du bleibst in den Händen deines Räubers.

EMILIA. Ich bleibe in seinen Händen?

ODOARDO. Und allein; ohne deine Mutter; ohne mich.

EMILIA. Ich allein in seinen Händen? – Nimmermehr, mein 35 Vater. – Oder Sie sind nicht mein Vater. – Ich allein in seinen Händen? – Gut, lassen Sie mich nur; lassen Sie mich nur. – Ich will doch sehn, wer mich hält, – wer mich zwingt, – wer der Mensch ist, der einen Menschen zwingen kann.

ODOARDO. Ich meine, du bist ruhig, mein Kind.

EMILIA. Das bin ich. Aber was nennen Sie ruhig sein? Die Hände in den Schoß legen? Leiden, was man nicht sollte? Dulden, was man nicht dürfte? 5

ODOARDO. Ha! wenn du so denkest! – Lass dich umarmen, meine Tochter! – Ich hab' es immer gesagt: Das Weib wollte die Natur zu ihrem Meisterstücke machen. Aber sie vergriff sich im Tone; sie nahm ihn zu fein. Sonst ist alles besser an euch als an uns. – Ha, wenn das deine Ruhe ist: so habe ich meine in ihr wieder gefunden! Lass dich umarmen, meine Tochter! – Denke nur: unter dem Vorwande einer gerichtlichen Untersuchung, – o des höllischen Gaukelspieles! – reißt er dich aus unsern Armen, und bringt dich zur Grimaldi[1]. 10 15

EMILIA. Reißt mich? bringt mich? – Will mich reißen; will mich bringen: will! will! – Als ob wir, wir keinen Willen hätten, mein Vater! 20

ODOARDO. Ich ward auch so wütend, dass ich schon nach diesem Dolche griff, *(ihn herausziehend)* um einem von beiden – beiden! – das Herz zu durchstoßen.

EMILIA. Um des Himmels willen nicht, mein Vater! – Dieses Leben ist alles, was die Lasterhaften haben. – Mir, mein Vater, mir geben Sie diesen Dolch. 25

ODOARDO. Kind, es ist keine Haarnadel.

EMILIA. So werde die Haarnadel zum Dolche! – Gleichviel.

ODOARDO. Was? Dahin wär es nicht gekommen? Nicht doch; nicht doch! Besinne dich. – Auch du hast nur ein Leben zu verlieren. 30

EMILIA. Und nur eine Unschuld!

ODOARDO. Die über alle Gewalt erhaben ist. –

EMILIA. Aber nicht über alle Verführung. – Gewalt! Gewalt! Wer kann der Gewalt nicht trotzen? Was Gewalt heißt, ist nichts: Verführung ist die wahre Gewalt. – Ich habe Blut, mein Vater; so jugendliches, so warmes Blut, als ei- 35

---

[1] Emilia wurde in das Haus des Kanzlers Grimaldi gebracht, wo sich dessen Gemahlin um Emilia kümmern sollte.

ne. Auch meine Sinne sind Sinne. Ich stehe für nichts. Ich bin für nichts gut. Ich kenne das Haus der Grimaldi. Es ist das Haus der Freude.
Eine Stunde da, unter den Augen meiner Mutter; – und es erhob sich so mancher Tumult in meiner Seele, den die strengsten Übungen der Religion kaum in Wochen besänftigen konnten! – Der Religion! Und welcher Religion? – Nichts Schlimmers zu vermeiden sprangen Tausende in die Fluten, und sind Heilige! – Geben Sie mir, mein Vater, geben Sie mir diesen Dolch.

ODOARDO. Und wenn du ihn kenntest, diesen Dolch! –

EMILIA. Wenn ich ihn auch nicht kenne! – Ein unbekannter Freund, ist auch ein Freund. – Geben Sie mir ihn, mein Vater; geben Sie mir ihn.

ODOARDO. Wenn ich dir ihn nun gebe – da! *(Gibt ihr ihn)*

EMILIA. Und da! *(Im Begriffe, sich damit zu durchstoßen, reißt der Vater ihr ihn wieder aus der Hand)*

ODOARDO. Sieh, wie rasch! – Nein, das ist nicht für deine Hand.

EMILIA. Es ist wahr, mit einer Haarnadel soll ich – *(Sie fährt mit der Hand nach dem Haare, eine zu suchen, und bekömmt die Rose zu fassen)* Du noch hier? – Herunter mit dir! Du gehörest nicht in das Haar einer, – wie mein Vater will, dass ich werden soll!

ODOARDO. O, meine Tochter! –

EMILIA. O, mein Vater, wenn ich Sie erriete! – Doch nein; das wollen Sie auch nicht. Warum zauderten Sie sonst? – *(In einem bittern Tone, während dass sie die Rose zerpflückt)* Ehedem wohl gab es einen Vater, der seine Tochter von der Schande zu retten, ihr den ersten den besten Stahl in das Herz senkte – ihr zum zweiten Male das Leben gab. Aber alle solche Taten sind von ehedem! Solcher Väter gibt es keinen mehr![1]

---

[1] Emilia erinnert ihren Vater an die Virginia-Geschichte, die von dem römischen Geschichtsschreiber Livius (59 v. Chr. – 17 n. Chr.) überliefert wurde: Virginius tötete seine Tochter Virginia, weil er glaubte, sie nur so vor den Nachstellungen des einflussreichen Appius Claudius bewahren zu können.

ODOARDO. Doch, meine Tochter, doch! *(Indem er sie durchsticht)* – Gott, was hab ich getan! *(Sie will sinken, und er fasst sie in seine Arme)*
EMILIA. Eine Rose gebrochen, ehe der Sturm sie entblättert. – Lassen Sie mich sie küssen, diese väterliche Hand. 5

Achter Auftritt

Der Prinz. Marinelli. Die Vorigen

DER PRINZ *(im Hereintreten)*. Was ist das? – Ist Emilien nicht wohl? 10
ODOARDO. Sehr wohl; sehr wohl!
DER PRINZ *(indem er näher kömmt)*. Was seh ich? – Entsetzen!
MARINELLI. Weh mir!
DER PRINZ. Grausamer Vater, was haben Sie getan! 15
ODOARDO. Eine Rose gebrochen, ehe der Sturm sie entblättert. – War es nicht so, meine Tochter?
EMILIA. Nicht Sie, mein Vater – Ich selbst – ich selbst –
ODOARDO. Nicht du, meine Tochter; nicht du! – Gehe mit keiner Unwahrheit aus der Welt. Nicht du, meine Tochter! Dein Vater, dein unglücklicher Vater! 20
EMILIA. Ah – mein Vater – *(Sie stirbt, und er legt sie sanft auf den Boden)*
ODOARDO. Zieh hin! – Nun da, Prinz! Gefällt sie Ihnen noch? Reizt sie noch Ihre Lüste? Noch, in diesem Blute, das wider Sie um Rache schreiet? *(Nach einer Pause)* Aber Sie erwarten, wo das alles hinaus soll? Sie erwarten vielleicht, dass ich den Stahl wider mich selbst kehren werde, um meine Tat wie eine schale Tragödie zu beschließen? – Sie irren sich. Hier! *(indem er ihm den Dolch vor die Füße wirft)* Hier liegt er, der blutige Zeuge meines Verbrechens! Ich gehe und liefere mich selbst in das Gefängnis. Ich gehe, und erwarte Sie, als Richter – Und dann dort – erwarte ich Sie vor dem Richter unser aller! 25 30
DER PRINZ *(nach einigem Stillschweigen, unter welchem er den Körper mit Entsetzen und Verzweiflung betrachtet, zu Mari-* 35

nelli). Hier! heb ihn auf. – Nun? Du bedenkst dich? – Elender! – *(Indem er ihm den Dolch aus der Hand reißt)* Nein, dein Blut soll mit diesem Blute sich nicht mischen. – Geh, dich auf ewig zu verbergen! – Geh! sag ich. – Gott!
5 Gott! – Ist es, zum Unglücke so mancher, nicht genug, dass Fürsten Menschen sind: müssen sich auch noch Teufel in ihren Freund verstellen?

Ende des Trauerspiels

Gotthold Ephraim Lessing: Werke. Hrsg. v. Herbert G. Göpfert, Bd. 2. München: Carl Hanser Verlag 1971, S. 201 – 204

Johann Wolfgang Goethe: Prometheus[1] (1774)

10 Bedecke deinen Himmel, Zeus,
Mit Wolkendunst,
Und übe, Knaben gleich,
Der Disteln köpft,
An Eichen dich und Bergeshöhn;
15 Musst mir meine Erde
Doch lassen stehn,
Und meine Hütte, die du nicht gebaut,
Und meinen Herd,
Um dessen Glut
20 Du mich beneidest.

Ich kenne nichts Ärmeres
Unter der Sonn, als euch, Götter!
Ihr nähret kümmerlich
Von Opfersteuern
25 Und Gebetshauch
Eure Majestät,

---

[1] In der griech. Mythologie ein Titanensohn und Halbgott, der aus Ton Menschen bildete und sie beseelte bzw. der ihnen – nach einer anderen Überlieferung – das Feuer brachte, das Zeus den Menschen vorenthalten hatte. Zur Strafe ließ Zeus ihn an einen Felsen des Kaukasus schmieden und schickte täglich einen Adler, der an seiner immer nachwachsenden Leber fraß. Prometheus wurde schließlich von Herakles befreit.

Und darbtet[1], wären
Nicht Kinder und Bettler
Hoffnungsvolle Toren.

Da ich ein Kind war,
Nicht wusste, wo aus noch ein, 5
Kehrt ich mein verirrtes Auge
Zur Sonne, als wenn drüber wär
Ein Ohr, zu hören meine Klage,
Ein Herz wie mein's,
Sich des Bedrängten zu erbarmen. 10

Wer half mir
Wider der Titanen[2] Übermut?
Wer rettete vom Tode mich,
Von Sklaverei?
Hast du nicht alles selbst vollendet, 15
Heilig glühend Herz?
Und glühtest jung und gut,
Betrogen, Rettungsdank
Dem Schlafenden da droben?

Ich dich ehren? Wofür? 20
Hast du die Schmerzen gelindert
Je des Beladenen?
Hast du die Tränen gestillet
Je des Geängsteten?
Hat nicht mich zum Manne geschmiedet 25
Die allmächtige Zeit
Und das ewige Schicksal,
Meine Herren und deine?

Wähntest du etwa,
Ich sollte das Leben hassen, 30
In Wüsten fliehen,
Weil nicht alle Knabenmorgen-
Blütenträume reiften?

---

1 2. Pers. Plur. Konj. II von „darben“: (Nahrung) nötig haben, Entbehrungen erleiden

2 riesenhafte, von Zeus gestürzte Götter der griech. Sage

Hier sitz ich, forme Menschen
Nach meinem Bilde,
Ein Geschlecht, das mir gleich sei,
Zu leiden, zu weinen,
5 Zu genießen und zu freuen sich,
Und dein nicht zu achten,
Wie ich!

Goethes Werke. Hrsg. im Auftrage der Großherzogin Sophie von Sachsen. Bd. 2. Weimar: Hermann Böhlau 1888, S. 76–78

Prometheus. Federzeichnung von Goethe, um 1810

Johann Wolfgang Goethe: Ganymed[1] (1774)

Wie im Morgenglanze
10 Du rings mich anglühst,
Frühling, Geliebter!
Mit tausendfacher Liebeswonne
Sich an mein Herz drängt
Deiner ewigen Wärme
15 Heilig Gefühl,
Unendliche Schöne!

Dass ich dich fassen möcht
In diesen Arm!
Ach an deinem Busen
20 Lieg ich, schmachte,
Und deine Blumen, dein Gras
Drängen sich an mein Herz.
Du kühlst den brennenden
Durst meines Busens,

---

[1] In der griech. Mythologie ein junger Königssohn, der schönste Mann: Er wurde von Zeus, der ihn als Mundschenk für die Götter haben wollte, auf den Olymp entführt. Nach späterer Version ließ Zeus ihn durch seinen Adler rauben (oder raubte ihn in Adlergestalt) und machte ihn zu seinem Geliebten.

Lieblicher Morgenwind!
Ruft drein die Nachtigall
Liebend nach mir aus dem Nebeltal.

Ich komm, ich komme!
Wohin? Ach, wohin? 5

Hinauf! Hinauf strebt's.
Es schweben die Wolken
Abwärts, die Wolken
Neigen sich der sehnenden Liebe.
Mir! Mir! 10

In eurem Schoße
Aufwärts!
Umfangend umfangen!
Aufwärts an deinem Busen,
Allliebender Vater! 15

Goethes Werke: Hrsg. im Auftrage der Großherzogin Sophie von Sachsen. Bd. 2. Weimar: Hermann Böhlau, 1888, S. 79f.

Gottfried August Bürger: Der Bauer. An seinen Durchlauchtigen[1] Tyrannen (1778)

Wer bist du, Fürst, dass ohne Scheu
Zerrollen mich dein Wagenrad,
Zerschlagen darf dein Ross? 20

Wer bist du, Fürst, dass in mein Fleisch
Dein Freund, dein Jagdhund, ungebläut
Darf Klau und Rachen haun?

Wer bist du, dass durch Saat und Forst
Das Hurra deiner Jagd mich treibt, 25
Entatmet wie das Wild? –

Die Saat, so deine Jagd zertritt,
Was Ross und Hund und du verschlingst,
Das Brot, du Fürst, ist mein.

---

1 Das damals übliche fürstliche Attribut „durchlauchtig" (eigentlich: „durchstrahlend", „durchleuchtend") bedeutet „mit außergewöhnlichen Eigenschaften ausgestattet".

Du Fürst hast nicht bei Egg und Pflug,
Hast nicht den Erntetag durchschwitzt.
Mein, mein ist Fleiß und Brot! –

Ha! Du wärst Obrigkeit von Gott?
5 Gott spendet Segen aus; du raubst!
Du nicht von Gott, Tyrann!

Gottfried August Bürger: Gedichte. Teil 1. Göttingen: Dieterich 1789, S. 98f.

Friedrich Schiller: Die Räuber (1781)

*Friedrich Schillers Erstlingswerk liegt das Motiv der feindlichen Brüder zugrunde: Karl Moor ist als Student in schlechte Gesell-
10 schaft geraten und schreibt nach stürmischer, von Schulden und provozierenden Streichen gekennzeichneter Studienzeit in Leipzig einen Brief an seinen Vater, worin er sein Elend und seine Reue rückhaltlos bekennt und um Verzeihung bittet; sein Bruder Franz tauscht den Brief jedoch gegen einen Bericht aus,
15 nach dem Karl angeblich als Verbrecher steckbrieflich gesucht wird. Der verzweifelte Vater, der dem grob gefälschten Bericht glaubt, verstößt seinen Lieblingssohn. Die Antwort an Karl überlässt er dem Neider Franz; dessen Schreiben versetzt den Enterbten in Wut und Empörung.*

20 *Moor tritt herein in wilder Bewegung und läuft heftig im Zimmer auf und nieder, mit sich selber.*

MOOR Menschen – Menschen! falsche, heuchlerische Krokodilbrut! Ihre Augen sind Wasser![1] Ihre Herzen sind Erzt! Küsse auf den Lippen! Schwerter im Busen! Lö-
25 wen und Leoparde füttern ihre Jungen, Raben tischen ihren Kleinen auf dem Aas, und Er, Er – Bosheit hab ich dulden gelernt, kann dazu lächeln, wenn mein erboster Feind mir mein eigen Herzblut zutrinkt – aber wenn Blutliebe zur Verräterin, wenn Vaterliebe zur Megäre[2]
30 wird; so fange Feuer männliche Gelassenheit, verwilde

---

1 Anspielung auf die Redensart „Krokodilstränen weinen“, d.h. sich heuchlerisch verhalten

2 eine der drei antiken Rachegöttinnen

zum Tiger sanftmütiges Lamm, und jede Faser recke sich auf zu Grimm und Verderben.

ROLLER Höre Moor! Was denkst du davon? Ein Räuberleben ist doch auch besser, als bei Wasser und Brot im untersten Gewölbe der Türme? 5

MOOR Warum ist dieser Geist nicht in einen Tiger gefahren, der sein wütendes Gebiss in Menschenfleisch haut? Ist das Vatertreue? Ist das Liebe für Liebe? Ich möchte ein Bär sein, und die Bären des Nordlands wider dies mörderische Geschlecht anhetzen – Reue, und keine 10 Gnade! – Oh ich möchte den Ozean vergiften, dass sie den Tod aus allen Quellen saufen! Vertrauen, unüberwindliche Zuversicht, und kein Erbarmen!

ROLLER So höre doch, Moor, was ich dir sage!

MOOR Es ist unglaublich, es ist ein Traum, eine Täuschung – 15 So eine rührende Bitte, so eine lebendige Schilderung des Elends und der zerfließenden Reue – die wilde Bestie wär in Mitleid zerschmolzen! Steine hätten Tränen vergossen, und doch – man würde es für ein boshaftes Pasquill[1] aufs Menschengeschlecht halten, wenn ich's 20 aussagen wollte – und doch, doch – oh dass ich durch die ganze Natur das Horn des Aufruhrs blasen könnte, Luft, Erde und Meer wider das Hyänen-Gezücht ins Treffen zu führen!

GRIMM Höre doch, höre! vor Rasen hörst du ja nicht. 25

MOOR Weg, weg von mir! Ist dein Name nicht Mensch? Hat dich das Weib nicht geboren? – Aus meinen Augen du mit dem Menschengesicht! – Ich hab ihn so unaussprechlich geliebt! so liebte kein Sohn, ich hätte tausend Leben für ihn – *(schäumend auf die Erde stampfend)* ha! 30 – wer mir itzt ein Schwert in die Hand gäb, dieser Otterbrut[2] eine brennende Wunde zu versetzen! wer mir sagte: wo ich das Herz ihres Lebens erzielen, zermalmen, zernichten – Er sei mein Freund, mein Engel, mein Gott – ich will ihn anbeten! 35

---

1 Schmähschrift

2 Ottern = Giftschlangen; vgl. Matthäus 3,17: „Ihr Otterngezüchte, wer hat denn euch gewiesen, dass ihr dem künftigen Zorn entrinnen werdet?"

ROLLER Eben diese Freunde wollen ja wir sein, lass dich doch weisen!

SCHWARZ Komm mit uns in die böhmischen Wälder! Wir wollen eine Räuberbande sammeln, und du – *(Moor stiert ihn an.)*

SCHWEIZER Du sollst unser Hauptmann sein! du musst unser Hauptmann sein!

SPIEGELBERG *(wirft sich wild in einen Sessel)* Sklaven und Memmen!

MOOR Wer blies dir das Wort ein? Höre, Kerl! *(Indem er Schwarzen hart ergreift.)* Das hast du nicht aus deiner Menschenseele hervorgeholt! wer blies dir das Wort ein? Ja, bei dem tausendarmigen Tod! das wollen wir, das müssen wir! der Gedanke verdient Vergötterung – *Räuber* und *Mörder!* – So wahr meine Seele lebt, ich bin euer Hauptmann!

ALLE *(mit lärmendem Geschrei)* Es lebe der Hauptmann!

SPIEGELBERG *(aufspringend, vor sich)* Bis ich ihm hinhelfe!

MOOR Siehe, da fällts wie der Star von meinen Augen! was für ein Tor ich war, dass ich ins Keficht zurückwollte! – Mein Geist dürstet nach Taten, mein Atem nach Freiheit, – *Mörder, Räuber!* – mit diesem Wort war das Gesetz unter meine Füße gerollt – Menschen haben Menschheit vor mir verborgen, da ich an Menschheit appellierte, weg dann von mir Sympathie und menschliche Schonung! – Ich habe keinen Vater mehr, ich habe keine Liebe mehr, und Blut und Tod soll mich vergessen lehren, dass mir jemals etwas teuer war! Kommt, kommt! – Oh ich will mir eine fürchterliche Zerstreuung machen – es bleibt dabei, ich bin euer Hauptmann!

Schillers Werke. Erster Band: Dramen I. Textkritisch hrsg. v. Herbert Kraft. Bd. 1. Frankfurt a. M.: Insel Verlag 1966, S. 31f.

III. Goethes „Werther" im Spiegel der zeitgenössischen Rezeption

Sinn und Bedeutung eines literarischen Textes liegen nicht ein für alle Mal fest, sondern bilden sich erst bei seiner kommunikativen Aneignung durch den Rezipienten (Leser oder Hörer). Dieser Vorgang, den man als Rezeption bezeichnet, ist immer von bestimmten individuellen und historischen Voraussetzungen und Bedingungen abhängig.
Dieses Kapitel vermittelt einen Einblick in die Rezeptionsbedingungen im 18. Jahrhundert und dokumentiert an ausgewählten Beispielen, wie Goethes „Werther" von den Zeitgenossen rezipiert worden ist.

„Werther"-Lesung im Walde. Öl-Gemälde von Heinrich Beck (1870)

I. Rezeptionsbedingungen im 18. Jahrhundert

Die Öffentlichkeit verändert sich – Der freie Schriftsteller meldet sich zu Wort – Der literarische Markt entsteht

Die höfisch geprägte Literatur des 17. Jahrhunderts war durch Volksferne, Realitätsverlust, Künstlichkeit und Motivarmut gekennzeichnet. Als Hofdichtung war sie zu einem sterilen, funktionslosen Gebilde erstarrt und nicht fähig, die neuen Entwicklungen künstlerisch zu erfassen, geschweige denn ihnen Ausdruck zu geben. Die dramatischen „Haupt- und Staatsaktionen"[1], die verwirrenden Schäfer- und Heldenromane und die schwülstigen erotischen Gedichte sprachen immer weniger Leser und Zuschauer an. Zudem fanden immer mehr Fürsten ihre Hofpoeten entbehrlich. Der letzte preußische Hofdichter wurde 1713 bei Regierungsantritt Friedrich Wilhelm I. im Zuge von Sparmaßnahmen entlassen. Die Ablösung von der höfischen Dichtung vollzog sich zumeist in den großen reichsunmittelbaren Handelsstädten, die sich zu kulturellen Konkurrenten der Höfe entwickelten und eine eigenständige Literaturgesellschaft ausbildeten. So gab es in Leipzig schon recht früh ein städtisches Theater, in Hamburg sogar eine städtische Oper. An die Stelle des fürstlichen Mäzens[2] traten hier und da bürgerliche Geldgeber, wie z.B. in Hamburg die „Patriotische Gesellschaft", die bei den Autoren literarische Werke in Auftrag gab. Nicht mehr das Lob des Fürsten und die Unterhaltung der höfischen Gesellschaft, sondern die Würdigung bürgerlichen Lebens und die Aufklärung des bürgerlichen Lesers waren Gegenstand und Ziel der neuen Dichtung. Dieser Adressaten- und Funktionswandel der Dichtung vollzog sich unter großen Schwierigkeiten, da es ein breites Lesepublikum zu dieser Zeit noch gar nicht gab. Die große Masse der Bevölkerung

1 polemisch gemeinte Bezeichnung für die Theaterstücke der deutschen Wanderbühnen des 17. und 18. Jh.s; sie spielten meistens in höfischen Kreisen und legten oft mehr Wert auf vordergründige Sensationseffekte und pompöse Szenen als auf künstlerisches Niveau

2 (nach dem Römer Maecenas) Kunstfreund; freigebiger Gönner

konnte am Anfang des 18. Jahrhunderts weder lesen noch schreiben, und die wenigen Bürger, die alphabetisiert waren, beschränkten ihre Lektüre auf die Bibel und religiöse Erbauungsschriften. Noch um 1770 machte der Kreis derjenigen, die lesen konnten, höchstens 15 % der Gesamtbevölkerung aus und erreichte erst um 1800 etwa 25 %. Der Kreis derjenigen, die sich für schöne Literatur interessierten, war natürlich noch kleiner. So rechnete Jean Paul[1] Ende des Jahrhunderts mit einem Publikum von 300000 Lesern und griff damit sicherlich zu hoch. Tatsächlich dürften nicht mehr als 1 % der Gesamtbevölkerung von 25 Millionen Einwohnern Leser schöner Literatur gewesen sein. Ein breites Lesepublikum und eine literarisch interessierte Öffentlichkeit mussten also erst geschaffen werden.
Hierbei spielten die Moralischen Wochenschriften eine große Rolle. Zeitschriften wie *Der Biedermann, Der Patriot* und *Die vernünftigen Tadlerinnen,* die nach englischem Vorbild in der ersten Hälfte des 18. Jahrhunderts wie die Pilze aus dem Boden schossen, haben eine wichtige Funktion für die Herausbildung einer bürgerlichen Öffentlichkeit gehabt. Die Moralischen Wochenschriften, in ihrer räsonierenden und informierenden Form selbst ein Produkt der Aufklärung, setzten sich die Popularisierung[2] aufklärerischen Gedankenguts zum Ziel. Damit wurden sie zu einem wichtigen Bindeglied zwischen höfischer und bürgerlicher Gesellschaft. Durch ihre kurzen populärwissenschaftlichen Abhandlungen, ihre moralphilosophischen Erörterungen und Untersuchungen, ihre neue literarische Verfahrens- und Vermittlungsweise weckten sie die Aufnahmebereitschaft des Publikums für neue Inhalte und Formen, erschlossen breitere Leserschichten und schufen auf diese Weise erst die Voraussetzungen für literarische Bildung und das Entstehen eines literarischen Marktes. Entscheidend gefördert wurde die Entwicklung bürgerlicher Öffentlichkeit durch die Lesegesellschaften, die vielfältig organisiert waren und sehr unterschiedliche Ziele verfolgten.

[1] Johann Paul Friedrich Richter (1763–1825), Dichter zwischen Klassik und Romantik

[2] popularisieren: gemeinverständlich darstellen; in die Öffentlichkeit bringen

Die Lesezirkel, die es seit dem Ende des 17. Jahrhunderts in Deutschland gab, dienten der Verbilligung der Lektüre von Zeitungen, Zeitschriften und Büchern, während die Lesegesellschaften darüber hinaus sich als Geselligkeitskreise verstanden, in denen private Lektüre einen gesellschaftlichen Rang erhielt. Die große Zahl von Lesegemeinschaften – zwischen 1760 und 1800 wurden rund 430 solcher Vereinigungen gegründet – zeigt, wie groß das gesellschaftliche Bedürfnis nach Lektüre und Diskussion darüber war. Die meisten Lesegesellschaften fühlten sich der Aufklärung verpflichtet. Ihre aufklärerische Zielsetzung spiegelt sich sowohl in der Lektüreauswahl als auch in den Organisationsstatuten, die die Selbstverwaltung nach demokratischen Prinzipien regelten. Zutritt zu den Lesegesellschaften hatte prinzipiell jeder Mann von Bildung und Geschmack (Frauen und Studenten waren ausgenommen), doch wurde durch die hohen Mitgliedsbeiträge der Kreis auf wohlhabende Bürger und Adlige beschränkt. Kleinbürger und die Unterschichten blieben ausgeschlossen und waren – soweit sie lesen konnten – auf die Leihbibliotheken angewiesen, die es aber erst gegen Ende des 18. Jahrhunderts in nennenswerter Zahl gab. Diese Leihbibliotheken markieren zusammen mit den kommerziellen Bibliotheken, die ebenfalls erst gegen Ende des 18. Jahrhunderts gegründet wurden, einen vorläufigen Endpunkt der gesellschaftlichen Lektüre. Sie schließen die erste Entwicklungsphase bürgerlicher Öffentlichkeit ab und schaffen die Voraussetzungen für eine Reprivatisierung des Lesens.
Die Abkehr von der höfisch verankerten Dichtung bewirkte nicht nur einen Strukturwandel der Öffentlichkeit, sondern sie hatte auch für die Situation des Schriftstellers Konsequenzen. Das Zeitalter des besoldeten Hofdichters ging zu Ende; an seine Stelle trat der freie Schriftsteller, der von seiner dichterischen Arbeit zu leben versuchte. Dem Vorteil der „freien" Schriftstellerexistenz – geistige Unabhängigkeit von fürstlichen und geistlichen Geldgebern – stand ein großer Nachteil gegenüber: die Unsicherheit des Einkommens. Kaum ein Schriftsteller im 18. Jahrhundert konnte angesichts der geringen Auflagenhöhe und der niedrigen Honorare vom Ertrag seiner Arbeit leben. [...]

Eingeengt wurde die neue Freiheit des Schriftstellers aber nicht nur durch seine ungesicherte wirtschaftliche Lage, sondern auch durch ganz handfeste Repression[1], nämlich durch die in den meisten deutschen Staaten herrschende Zensur. Ein Mitglied der Wiener Bücherkommission, die über die Zensur in Österreich wachte, definierte 1761 die Zensur als „die Aufsicht, dass sowohl im Lande keine gefährlichen und schädlichen Bücher gedrucket, als auch, dass dergleichen Bücher nicht aus andern Landen eingeführet und verkaufet werden", und wollte nur solche Bücher gedruckt sehen, die „nichts Gefährliches vor die Religion, nichts zu offenen Verderb der Sitten, und nichts wider die Ruhe des Staats, und wider die, denen Regenten schuldige Ehrerbietung in sich enthalten". Wie stark die Zensur in das öffentliche Leben eingriff, zeigt die berühmt-berüchtigte Auseinandersetzung zwischen Lessing und dem orthodoxen Pastor Goeze[2] über die Publikation religionskritischer Schriften. Der Herzog von Braunschweig hatte Lessing ursprünglich von der Zensur befreit, nahm diese Maßnahmen aber auf Betreiben Goezes zurück: Durch mehrere herzögliche Erlasse wurde es Lessing verboten, seine religionskritischen Arbeiten zu publizieren und die Auseinandersetzung mit Goeze weiterzuführen. Auch Goethes *Werther* wurde – hier hat sich wiederum der orthodoxe Goeze hervorgetan – in einigen Teilen Deutschlands von der Zensur verboten, ebenso Wielands *Agathon,* dessen Verkaufserfolg durch die Zürcher und Wiener Zensur erheblich behindert wurde. [...]
Finanzielle Misere[3] und Zensur waren zwei Faktoren, welche die neue Freiheit des Schriftstellers einschränkten; ein dritter Faktor kam hinzu: der literarische Markt, der sich seit der Mitte des 18. Jahrhunderts in Deutschland herausbildete. Zwei Entwicklungen vor allem waren dafür verantwortlich. Erstens der rasche Anstieg der Buchproduktion und zweitens der sprunghafte zahlenmäßige Anstieg der Schriftsteller. Zwischen 1740 und 1800 stieg die jährliche Buchproduktion von 755 auf 2569 Titel, wobei die soge-

1 Unterdrückung
2 siehe Kapitel III.2
3 Notlage, Elend

nannte Schöne Literatur den Hauptanteil an dieser Steigerung hatte. Ihre Produktion stieg absolut zwischen 1740 und 1800 um das 16-fache, ihr relativer Anteil an der Gesamtproduktion von 5,8 % auf 21,5 %. 1766 gab es zwischen 2000 bis 3000 Autoren, 1800 waren es schon über 10000, von denen 1000 bis 3000 hauptsächlich oder ausschließlich vom Ertrag ihrer schriftstellerischen Arbeit zu leben versuchten. Die rasche Steigerung der Bücherzahlen machte es notwendig, die Buchproduktion und deren Vertrieb nach marktwirtschaftlichen Gesichtspunkten zu organisieren. An die Stelle des nach den Gesetzen des Tauschhandels organisierten Buchhandels – der Tauschhandel war von 1564 bis 1764 die vorrangige buchhändlerische Verkehrsform – traten das moderne Verlagswesen und der moderne Buchhandel. Verlag und Sortiment[1], bislang in der Person des Verleger-Sortimenters zusammengefasst, trennten und spezialisierten sich unabhängig voneinander auf die Herstellung bzw. den Vertrieb. Das war die Geburtsstunde des neuzeitlichen Verlegers und Buchhändlers. Erstmals gab es feste Preise. Bücher wurden nun nicht mehr nur einmal im Jahr auf Messen angeboten, sondern konnten auch während des Jahres über den Buchhändler bezogen werden. Das war von großem Vorteil für die Käufer, die jetzt das Buch wie jede andere Ware ständig kaufen konnten.

Die Expansion und Organisation des literarischen Marktes nach den Gesetzen der Warenproduktion hatten Konsequenzen für die Situation des Autors, sein Selbstverständnis und seine literarische Produktion. Die Schriftsteller mussten sich, wie ein Betroffener bitter beklagte, „in manche Verhältnisse der bürgerlichen Gesellschaft fügen, die ihnen wehe tun". Dazu gehörte vor allem die Anpassung an den Markt und den literarischen Geschmack des Publikums. Literatur wurde, wie schon die Zeitgenossen klar erkannten, zur „Kaufmannsware", der Schriftsteller zum „Lohnschreiber". [...]

Als besonders gravierend empfanden die Autoren, dass sie nicht Eigentümer ihrer Schriften waren; die Eigentums-

---

1 hier: Angebot und Vertrieb von Büchern

rechte lagen vielmehr bei den Verlegern, die mit den Manuskripten willkürlich umgehen konnten. Akut wurde die Frage des geistigen Eigentums durch das Nachdruckunwesen. Ohne Rücksicht auf Autoren- und Verlegerrechte druckten findige Buchhändler beliebte und gefragte Bücher für ihre eigene Tasche nach und schmälerten damit dem ursprünglichen Verleger und mittelbar auch dem Autor die finanziellen Einnahmen. Erst 1835 wurde durch Beschluss des Deutschen Bundes der willkürliche Nachdruck durch gesetzliche Regelungen unterbunden. Die Diskussion über den Schutz des geistigen Eigentums bzw. des Urheberrechts dauerte aber noch während des ganzen 19. Jahrhunderts an. Im 18. Jahrhundert lebte der einzelne Schriftsteller also in einer rechtlich noch völlig ungesicherten Situation und war den Gesetzen des Marktes schutzlos ausgeliefert. Erschwerend kam der starke Konkurrenzdruck unter den Autoren hinzu. Auf dem literarischen Markt überleben konnten nur die Autoren, denen es gelang, sich weitgehend dem Publikumsgeschmack anzupassen, oder solche Autoren, deren Werke durch Originalität in Inhalt und Form das Interesse der literarischen Kenner spontan auf sich ziehen konnten. Die Auffassung bzw. Propagierung des Dichters als „Originalgenie" hat darin einen guten Grund.

Wolfgang Beutin u.a.: Deutsche Literaturgeschichte. Von den Anfängen bis zur Gegenwart. 5., überarbeitete Auflage. Stuttgart/Weimar: J. B. Metzler Verlag 1994, S. 122–128 (gekürzt)

Friedrich August Böck[1]: Wie kann die Seele durch das Studium der schönen Künste zum wahren Guten geführet werden? (1771)

Übet euren Geist in allen Arten des Schönen, aber lernet auch zugleich euren dadurch veredelten und verfeinerten Geschmack am Großen und Erhabnen, am Wahren und Natürlichen, am Zärtlichen und Sanften, am Würdigen und Anständigen und an allem, worein sich die echte, von dem Guten unzertrennliche Schönheit bei ihrer Zergliederung

[1] Tübinger Philosophieprofessor

auflösen lässt, auf eure Religion anwenden [...] Machet durch diese Übungen euren Gottesdienst reiner und stärker, eure Liebe zu dem Vaterlande zärtlicher, eure Treue gegen den Vater des Vaterlandes willkommener, euren
5 Eifer in den Berufsgeschäften lebhafter, euer Betragen in dem gesellschaftlichen Leben anständiger und gefälliger! So wird die Religion, und mit dieser der Staat, durch eure Beschäftigung mit den schönen Wissenschaften und Künsten unendlich viel gewinnen. So dürft ihr euch bei der Vollen-
10 dung eures Laufs der süßen Beruhigung freuen, dass ihr mit der Beförderung eurer eigenen Glückseligkeit die Glückseligkeit vieler Menschen verbunden habt und wohl also in der Folge nicht unglückselig sein könntet.

Friedrich August Böck: Wie kann die Seele durch das Studium der schönen Künste zum wahren Guten geführet werden? Stuttgart 1771, S. 17f.

Ausschnitt eines Bildes von D. Berger nach D. Chodowiecki, Illustration zu Goethes „Werther"-Roman

2. Rezeptionsdokumente

Christian Friedrich Daniel Schubart[1]: Da sitz' ich mit zerflossnem Herzen ... (1774)

Da sitz ich mit zerflossnem Herzen, mit klopfender Brust und mit Augen, aus welchen wollüstiger Schmerz tröpfelt, und sag dir, Leser, dass ich eben die ‚Leiden des jungen
20 Werthers' von meinem lieben Goethe – gelesen? – nein,

[1] Schubart war ein gesellschaftskritischer, politischer Schriftsteller (1739–1791), der wegen seiner kühnen Artikel zehn Jahre auf der Festung Hohenasperg gefangen gehalten wurde.

verschlungen habe. Kritisieren soll ich? Könnt ich's, so hätt ich kein Herz. Göttin Critica steht ja selbst vor diesem Meisterstück des allerfeinsten Menschengefühls aufgetaut da. Mir war's, als ich Werthers Geschichte las, wie der Rahel im elften Gesang des ‚Messias'[1], wie sie im himmlischen Gefühl zerrann und unter dem Gelispel des wehenden Bachs erwachte. – Ein Jüngling voll Lebenskraft, Empfindung, Sympathie, Genie, so wie ohngefähr Goethe, fällt mit dem vollen Umgestüm einer unbezwinglich haftenden Leidenschaft auf ein himmlisches Mädchen. Die ist aber schon verlobt und vermählt sich mit einem braven Manne. Aber dieses Hindernis verstärkt nur Werthers Liebe. Sie wird immer unruhiger, heftiger, wütender, und nun – ist jede Wonne des Lebens für ihn tot. Er entschließt sich zum Selbstmorde und führt ihn auch aus. Diesen simplen Stoff weiß der Verfasser mit so viel Aufwand des Genies zu beachten, dass die Aufmerksamkeit, das Entzükken des Lesers mit jedem Briefe zunimmt. Da sind keine Episoden, die den Helden der Geschichte wie ein goldnes Gefolg einen verdienstlosen Fürsten umgeben: Der Held, Er, Er ganz allein lebt und webt in allem, was man liest: Er, Er steht im Vordergrunde, scheint aus der Leinwand zu springen und zu sagen: „Schau, das bin ich, der junge leidende Werther, dein Mitgeschöpf! So musst ich volles irdenes Gefäß am Feuer aufkochen, aufsprudeln, zerspringen!" – Die eingestreuten Reflexionen, die so natürlich aus den Begebenheiten fließen, sind voll Sinn, Weltkenntnis, Weisheit und Wahrheit. Thomsons[2] Pinsel hat nie richtiger, schöner, schrecklicher gemalt als Goethes. Soll ich einige schöne Stellen herausheben? Kann nicht: Das hieße mit dem Brennglas Schwamm anzünden und sagen: Schau, Mensch, das ist Sonnenfeuer! – Kauf's Buch und lies selbst! Nimm aber dein Herz mit! – Wollte lieber ewig arm sein, auf Stroh liegen, Wasser trinken und Wurzeln essen als ei-

[1] Der ‚Messias' ist ein Epos in zwanzig Gesängen von Friedrich Gottlieb Klopstock (1724–1803).

[2] Thomson, James (1700–1748), anglo-schottischer Dichter. Sein Gedicht „The seasons" gilt als Beginn der Naturdichtung.

nem solchen sentimentalischen Schriftsteller nicht nachempfinden können. Ist bei Stage zu haben.

Christian Friedrich Daniel Schubart: Deutsche Chronik. 72. Stück (5. Dezember 1774). Frankfurt a.M.: Insel Verlag 1972

Matthias Claudius[1]: Weiß nicht, obs 'n Geschicht oder 'n Gedicht ist ... (1774)

5 Weiß nicht, obs 'n Geschicht oder 'n Gedicht ist; aber ganz natürlich geht's her und weiß einem die Tränen recht aus 'm Kopf herauszuholen. Ja, die Liebe ist 'n eigen Ding; lässt sich's nicht mit ihr spielen wie mit einem Vogel. Ich kenne sie, wie sie durch Leib und Leben geht und in jeder Ader 10 zückt und stört und mit 'm Kopf und der Vernunft kurzweilt. Der arme Werther! Er hat sonst so gute Einfälle und Gedanken. Wenn er doch eine Reise nach Pareis[2] oder Pecking[3] getan hätte. So aber wollt er nicht weg vom Feuer und Bratspieß und wendet sich so lange dran herum, bis er 15 kaputt ist; und ist eben das Unglück, und darum sollen sie unter der Linde an der Kirchhofmauer neben seinem Grabe eine Grasbank machen, dass man sich darauf hinsetze und den Kopf in die Hand lege und über die menschliche Schwachheit weine. – Aber wenn du ausgeweint hast, sanf- 20 ter guter Jüngling, wenn du ausgeweint hast; so hebe den Kopf fröhlich auf und stemme die Hand in die Seite, denn es gibt Tugend, die, wie die Liebe, auch durch Leib und Leben geht und in jeder Ader zückt und stört. Sie soll nur mit viel Ernst und Verleugnung errungen werden und deswegen 25 nicht sehr bekannt und beliebt sein, aber wer sie hat, dem soll sie auch dafür reichlich lohnen, bei Sonnenschein und Regen, und wenn Freund Hain[4] mit der Hippe kömmt.

Goethe im Urteile seiner Zeitgenossen. Zeitungskritiken, Berichte, Notizen, Goethe und seine Werke betreffend, aus den Jahren 1773–1786. Gesammelt und hrsg. v. Julius Braun. Bd. 1, Berlin 1888

---

[1] Dichter (1740–1815), Herausgeber der Lokalzeitung „Der Wandsbecker Bothe" (1771–1775)

[2] Paris

[3] Peking

[4] von Matthias Claudius 1774 durch die Dedikation seiner sämtl. Werke in die Literatur eingeführte volkstümliche Bezeichnung des Todes

Gotthold Ephraim Lessing: Brief an Eschenburg[1] (1774)

Haben Sie tausend Dank für das Vergnügen, welches Sie mir durch Mitteilung des goethischen Romans gemacht haben. Ich schicke ihn noch einen Tag früher zurück, damit auch andere dieses Vergnügen je eher je lieber genießen können. Wenn aber ein so warmes Produkt nicht mehr Unheil als Gutes stiften soll: Meinen Sie nicht, dass es noch eine kleine kalte Schlussrede haben müsste? Ein paar Winke hinterher, wie Werther zu einem so abenteuerlichen Charakter gekommen; wie ein andrer Jüngling, dem die Natur eine ähnliche Anlage gegeben, sich dafür zu bewahren habe. Denn ein solcher dürfte die poetische Schönheit leicht für die moralische nehmen und glauben, dass der *gut* gewesen sein müsse, der unsere Teilnehmung so stark beschäftiget. Und das war er doch wahrlich nicht; ja, wenn unsers J**s [Jerusalems] Geist völlig in dieser Lage gewesen wäre, so müsste ich ihn fast – verachten. [...] Also, lieber Goethe, noch ein Kapitelchen zum Schlusse; und je zynischer, je besser!

Gotthold Ephraim Lessing: Werke. Hrsg. v. Herbert G. Göpfert. Bd. 2, München: Carl Hanser Verlag 1971, S. 789f.

Werther am Schreibpult sitzend mit Pistole

---

[1] Eschenburg, einer der ersten Shakespeare-Übersetzer, war ein Freund des Legationssekretärs K.W. Jerusalem (s. Kapitel 1.5).

Johann Melchior Goeze[1]: Kurze, aber notwendige Erinnerungen über die Leiden des jungen Werthers (1775)

Gott erwecke doch unsere teure Obrigkeit, dergleichen Erinnerungen itzt zu wiederholen. Wann können solche nötiger sein als in unseren Tagen, da Apologien[2] für den Selbstmord geschrieben werden und einen ungestörten freien Lauf haben, da gottlose Zeitungs-Rezensenten solche verfluchungswürdige Schriften anpreisen, die Selbstmörder als Tugend-Helden rühmen und sie seligpreisen; da die pestilenzialische Sucht der Lotterien so viele junge Leute als einen Strom dahinreißet: Da, Gott sei es geklagt! die Selbstmörder so häufig werden und durch das Öl, welches die ‚Leiden des jungen Werthers' und die Rezensionen derselben in dieses Feuer gießen, sich unausbleiblich noch vervielfältigen werden.
Man hat mir sagen wollen, dass die ‚Leiden des jungen Werthers' in Leipzig konfisziert und bei hoher Strafe verboten wären. Wie sehr ist dies zu wünschen, dass diese Nachricht Grund haben möge! Sollte dieses auch nicht sein, so wäre es doch zu wünschen, dass alle Obrigkeiten diesen Schluss noch fassen und solchen auf die eklatanteste Art, die möglich ist, vollziehen möchten. Ich weiß zwar wohl, dass dieses Mittel nicht zureicht, dieses so weit ausgestreute giftige Unkraut auszurotten; allein die Wirkung würde es doch haben, dass dadurch die Vorstellungen, welche durch diese so giftige Schrift in vielen, sonderlich jungen Gemütern, veranlasset worden sind, kräftig alteriert[3] und den leichtsinnigen Rezensenten Zaum und Gebiss angelegt würden, dass sie es sich nicht ferner unterstehen

---

1 Hauptpastor an der Katharinenkirche in Hamburg; in zahlreichen theologischen und literarischen Fehden (u.a. mit Lessing) trat er als strenger Orthodoxer hervor, d.h. als „Rechtgläubiger" in dem Sinne, dass er die Übereinstimmung von Lehre und Glaube mit dem festgelegten Bekenntnis des Luthertums vertrat.

2 Verteidigungen

3 geändert

würden, ihre Posaunen zum Lobe solcher Schriften zu erheben.

Johann Melchior Goeze: Kurze aber notwendige Erinnerungen über die Leiden des jungen Werthers. In: Goethe im Urteil seiner Kritiker. Teil I 1773–1832. Hrsg. v. Robert Mandelkow. München: Verlag C. H. Beck 1975

Georg Christoph Lichtenberg[1]: Die schönste Stelle im „Werther" ... (1776–1779)

Die schönste Stelle im „Werther" ist die, wo er den Hasenfuß erschießt.

Lichtenbergs Werke. In einem Band. Ausgewählt und eingeleitet von Hans Friederici. 3. Auflage. Berlin und Weimar: Aufbau-Verlag 1978, S. 104

1 Physiker und Schriftsteller (1742–1799)

IV. Literarische Wirkungen des „Werther"

Goethes „Werther" war ein literarischer Welterfolg, wie die zahlreichen Auflagen, Raubdrucke, Übersetzungen und Rezensionen belegen. Zum ersten Mal in der neueren Kulturgeschichte wurde ein Literaturprodukt darüber hinaus vermarktet: Gebrauchsgegenstände (z.B. Porzellantassen) trugen Werthers und Lottes Namen und Bildnisse; es gab sogar ein Parfüm „Eau de Werther"; die „Werthertracht" (blauer Frack, gelbe Weste, lange braune Stiefel) wurde zur Mode; man legte „Werther-Haine" an mit „Werther-Urnen" auf steinernen Postamenten.
Der Roman hatte jedoch auch weitreichende literarische Wirkungen, die in diesem Kapitel exemplarisch dokumentiert werden. Es handelt sich dabei zunächst um „Werther"-Nachahmungen und „Werther"-Parodien, die damals die Stände der Buchmessen füllten. Diese Tradition der „Wertheriaden" erstreckte sich bis nach Frankreich und England.
Darüber hinaus gibt es recht bedeutende literarische Rezeptionen des „Werther" bzw. Variationen des „Werther"-Themas – sogar gegen Ende des 20. Jahrhunderts.

Carl Ernst von Reitzenstein: Lotte bei Werthers Grabe (1774)

Ausgelitten hast du – ausgerungen,
Armer Jüngling, deinen Todesstreit;
Abgeblutet die Beleidigungen
Und gebüßt für deine Zärtlichkeit!
O warum – O! dass ich dir gefallen!
Hätte nie mein Auge dich erblickt,
Hätte nimmer von den Mädchen allen
Das verlobte Mädchen dich entzückt!
Jede Freude, meiner Seele Frieden
Ist dahin, auch ohne Wiederkehr!
Ruh und Glücke sind von mir geschieden,
Und mein Albert liebt mich nun nicht mehr.
Einsam weil' ich auf der Rasenstelle,

Wo uns oft der späte Mond belauscht,
Jammernd irr ich an der Silberquelle,
Die uns lieblich Wonne zugerauscht;
Bis zum Lager, wo ich träum und leide,
Ängsten Schrecken meine Fantasie; 5
Blutig wandelst du im Sterbekleide
Mit den Waffen, die ich selbst dir lieh.
Dann erwach ich bebend – und ersticke
Noch den Seufzer, der mir schon entrann,
Bis ich weg von Alberts finstern Blicke 10
Mich zu deinem Grabe stehlen kann.
Heilige, mit frommen kalten Herzen,
Gehn vorüber und – verdammen dich:
Ich allein, ich fühle deine Schmerzen,
Teures Opfer, und beweine dich! 15
Werde weinen noch am letzten Tage,
Wenn der Richter unsre Tage wiegt,
Und nun offen auf der furchtbarn Waage
Deine Schuld und deine Liebe liegt:
Dann, wo Lotte jenen süßen Trieben 20
Gern begegnet, die sie hier verwarf,
Vor den Engeln ihren Werther lieben
Und ihr Albert nicht mehr zürnen darf:
Dann, o! dräng ich zu des Thrones Stufen
Mich an meines Alberts Seite zu, 25
Rufen wird er selbst, versöhnet rufen:
Ich vergeb ihm: O, verschone du!
Und der Richter wird Verschonung winken;
Ruh empfängst du nach der langen Pein,
Und in einer Myrtenlaube trinken 30
Wir die Seligkeit des Himmels ein.

Fritz Adolf Hünich: Die deutschen Werther-Gedichte. In: Jahrbuch der Sammlung Kippenberg. Bd. 1. Leipzig: Insel-Verlag 1921, S. 187f.

Christoph Friedrich Nicolai[1]: Freuden des jungen Werthers (1775)

Die ‚Freuden' beginnen und enden mit einem Gespräch zwischen Hanns, einem geniebegeisterten jungen Mann, und Martin, einem vernünftigen, rational denkenden Mann. Martin kritisiert Werther und will Hanns mit einer Geschichte beweisen, dass Werther durchaus nicht als Vorbild zu verstehen ist und auch ganz anders hätte enden können. Wenn Albert und Lotte noch nicht verheiratet gewesen wären, als Albert wegen des lang verschobenen Geschäfts wegritt, hätte die Handlung folgendermaßen verlaufen können:

Als Albert aus seinem Zimmer zurückkam, wo er mehr hin- und hergegangen war und sich gesammelt als seine Pakete durchgesehen hatte, kam er wieder zu Lotten und fragte lächelnd: „Und was wollte Werther? Sie wussten ja so gewiss, dass er vor Weihnachtsabend nicht wiederkommen würde!"
Nach Hin- und Widerreden gestand Lotte, aufrichtig wie ein edles deutsches Mädchen, den ganzen Vorgang des gestrigen Abends. Indem sie's aber gesagt hatte, bangte sie auch schon, sie möchte, aus Unkunde zu lügen, ihm Wermut gereicht haben.
Nein, sagte Albert ganz ruhig: Sie haben Balsam in meine Seele gegossen. Sie verleugnen auch hierin Ihr edles Herz nicht. Aber ein wenig unüberlegt haben Sie gehandelt, meine liebe Lotte. Sie hatten ihm, wie ich merke, ein Versprechen abgezwungen, dass er vor Weihnachtsabend nicht wiederkommen wollte. Sie wollten mich dadurch beruhigen, weil Sie wussten, dass ich verreisen musste, weil Sie, liebste Lotte, meine Eifersucht gemerkt hatten, die ich gern vor mir selbst verborgen hätte. Ich danke Ihnen dafür. *Er küsste ihr die Hand.* Aber da nun Werther wider sein Versprechen sich eindrang, so hätten Sie sich nicht so vertraulich mit ihm aufs Kanapee setzen und unter vier Augen

[1] Berliner Buchhändler (1733–1811), der als Verleger, Rezensent, Schriftsteller und Herausgeber der „Bibliothek der schönen Wissenschaften und freyen Künste" zu literarischen und philosophischen Fragen seiner Zeit Stellung nahm

in Büchern lesen sollen. Sie verließen sich auf die Reinheit Ihres Herzens. Dies ist für ein Mädchen ein sehr edles Bewusstsein. Aber da denkt der beste Kerl nicht dran, zumal wenn die Liebe Hindernisse find't und die Zeit kostbar ist. O Weiber! Macht's dem besten Buben weis, dass er euch ein Versprechen ungestraft brechen darf, und er wird mehrere brechen wollen. – So haben Sie's, liebste Lotte, ohn's zu denken, selbst so eingeleitet, dass Sie sich ins Kabinett verschließen mussten. – Die Szene war wirklich stark. –
Lotte weinte bitterlich.
Albert nahm sie bei der Hand und sagte sehr ernsthaft: Beruhigen Sie sich, liebstes Kind. Sie lieben den Jungen, er ist's wert, dass Sie ihn lieben, Sie haben's ihm gesagt, mit dem Munde oder mit den Augen, 's ist einerlei. –
Lotte fiel ihm schluchzend in die Rede, beteuerte, dass sie ihn nicht liebe, dass er vielmehr nach der letzten Szene ihren Hass verdiene, dass sie ihn verabscheue. – –
Verabscheuen? Das ist etwas, liebstes Lottchen, das lautet so, als ob Sie ihn noch liebten. Hätten Sie ganz gelassen gesagt, der Bursch wäre ihnen gleichgültig, so hätte ich ganz still geschwiegen, so hätte ich Ihnen nicht gesagt, dass ich wechselseitige Liebe nicht stören will, dass ich alle Ansprüche –
Großer Gott!, rief Lotte laut schluchzend, indem sie sich das Gesicht mit dem Schnupftuche bedeckte, wie können Sie meiner so grausam spotten? Bin ich nicht Ihre Verlobte? Ja, er soll mir sein, was Sie wollen, gleichgültig! Verabscheuungswürdig! So gleichgültig als – –
Als ich selbst?, rief Albert. Das wäre für mich gut, aber nicht für ihn. Für mich wäre unter diesen Umständen –
Indem kam der Knabe, der Werthers Zettelchen brachte, worin er Alberten um die Pistolen bat. Albert las den Zettel. Murmelte vor sich: der Querkopf!, ging in sein Zimmer, ergriff die Pistolen, lud sie selbst und gab sie dem Knaben: Da! Bring sie, sagt' er, deinem Herrn. Sage ihm, er soll sich wohl damit in Acht nehmen, sie wären geladen. Und ich ließe ihm eine glückliche Reise wünschen.
Lotte staunte – Albert erklärte ihr nun weitläufig, er gebe nach reifer Überlegung alle Ansprüche an sie auf. Er wolle eine zärtliche wechselseitige Liebe nicht stören. Er wolle sie beide und sich selbst nicht unglücklich machen. Aber er

wolle ihr Freund bleiben. Er wolle selbst Werthers wegen sogleich an ihren Vater schreiben, das solle sie auch tun, und Werthern eher nichts sagen, bis sie Antwort erhalten habe. Lotte, nach vielen Umschweifen, nach vieler weiblicher Zurückhaltung, gestand ihre herzliche Liebe zu Werthern, nahm Alberts Vorschlag dankbar an und ging in ihr Zimmer, um zu schreiben.

Im Weggehen kehrte sie noch um und äußerte eine ängstliche Besorgnis wegen der Pistolen.

Seien Sie ruhig, Kind! Wer sich von seinem Nebenbuhler Pistolen fordert, erschießt sich nicht. Und wenn er allenfalls –

So schieden sie von einander.

Werther erhielt indessen die Pistolen, setzte eine vor den Kopf, drückte los, fiel zurück auf den Boden. Die Nachbarn liefen zu, und weil man noch Leben an ihm verspürte, ward er auf sein Bette gelegt.

Indessen wurden Werthers zwei letzte Briefe an Lotten und der Brief an Alberten dem Letztern gebracht, und zugleich erscholl die Nachricht von Werthers trauriger Tat. Albert ließ dieselbe vor Lotten verbergen, las die sämtlichen Briefe und ging ungesäumt nach Werthers Wohnung. Er fand ihn auf dem Bette liegend, das Gesicht und das Kleid mit Blut bedeckt. Er hatte eine Art von Konvulsionen[1] gehabt, und nun lag er ruhig mit stillem Röcheln.

Die Umstehenden traten weg und ließen beide allein. Werther hob die Hand ein wenig empor und bot sie Alberten. Nun triumphiere, sagte er, ich bin nun aus deinem Wege!

Ich komme nicht zu triumphieren, sprach Albert ruhig, sondern dich zu bedauern, und wenn's möglich ist, dich zu trösten. Aber du bist rasch gewesen, Werther –

Werther stieß, für einen so Hartverwundeten beinahe mit zu heftiger Stimme, viel unzusammenhängendes garstiges Gewäsche aus, zum Lobe des süßen Gefühls der Freiheit, diesen Kerker zu verlassen, wenn man will.

ALBERT. Dies ist, lieber Werther, ebenso wie die Freiheit, dies Glas zu zerbrechen, eine Freiheit, der man sich nicht bedienen muss, weil sie nicht nützt, sondern schadet.

---

[1] Schüttelkrämpfe

WERTHER. Heb dich von mir, vernünftiger Mensch! Du bist zu kaltblütig, so einen Entschluss auch nur von fern zu denken!

ALBERT. Ja freilich, so kaltblütig bin ich, und dabei ist mir recht wohl zumute! Meinst etwa, 's wäre ein edler gro- 5 ßer Entschluss? Bild'st dir ein, 's wäre Kraft und Tat drin? Geh! Bist 'n weichlicher Zärtling. Kannst aus der Mutter Natur Schublade, wenn's dir einfällt, nicht eben Zuckerwerk genug naschen, so wild gleich aus 'r Haut fahren, denkst, sie gibt dir nie wieder Zucker. 10

WERTHER. O des weisen Vernünftlers! Und doch weißt du's, Mensch. 's war keine Hilfe da. Ich konnte nicht besitzen, was ich liebte. Und nun, *Er schlug die Hand übers Gesicht,* was kümmert mich Welt und Natur.

ALBERT. Armer Tor, der du alles so gering achtest, weil du 15 so klein bist! Konnt'st nicht? 's war keine Hilfe da? Konnt' nicht ich, der ich dich liebe, weil ein braver Junge bist, dir Lotten abtreten. Fass 'n Mut, Werther! Ich will's noch itzt tun.

Werther richtete sich halb auf: Wie? Was? Du könntest, du 20 wolltest! – Schweig, Unglücklicher! – Deine Arznei ist Gift. – Denn was hülf's? – *Er sank wieder zurück.* Nein! 's ist auch nichts. – Du bist ein Boshafter. – Wer kalt ist, ist boshaft. – Hast dir's abstrahiert, wie du mich bis aufs Ende quälen willst. – 25

ALBERT. Guter Werther, bist 'n Tor! Wenn doch kalte Abstraktion nicht klüger wäre als versengte Einbildung. – Da lass dir's Blut abwischen. Sah ich nicht, dass du'n Querkopf warst und würd'st deinen bösen Willen haben wollen. Da lud ich dir die Pistolen mit 'ner Blase 30 voll Blut, 's von 'em Huhn, das ihr heute Abend mit Lotten verzehren sollt.

Werther sprang auf: Seligkeit – Wonne – usw. – Er umarmte Alberten. Er wollte es noch kaum glauben, dass sein Freund so großmütig gegen ihn handeln könne. 35

Albert sagte: Sprich nicht von Großmut; ein bisschen kalte Vernunft tut's meiste, und den Rest tut's, dass ich 'n Jungen liebe wie du, in dem's liegt, noch viel zu schaffen. Das Ding mit dir und Lotten hat mir schon lang gewurmt. 's gefiel mir schon nicht, als du in dem geschlossnen Plätz- 40 chen, hinter den hohen Buchenwänden, dich zu ihren Füßen warfst; so unbefangen du dabei schienst, so war's doch ein so romantisch-feierliches Ding, das 'nem Bräutigam nicht in' Kopf will. Darüber habe ich denn allerlei hin- und hergedacht. Du wirst dich noch erinnern, wie sich Unmut und Unwillen aneinander vermehrten, als du am Sonntage so ungebeten dableiben wolltest. Dem sann ich auch nach und machte mir die leidige Abstraktion, dass meine Braut dich liebte. Du hältst mich für kalt, Werther, und ich bin's auch, wenn's Zeit ist, aber so warm bin ich doch, dass ich herzlich liebe und herzliche Gegenliebe verlange. Ich sah also, ich konnte mit Lotten nicht glücklich sein. Mein Entschluss war schon unterwegs gefasst, euch glücklich zu machen, weil ich selbst nicht glücklich sein konnte. Nun kam noch die gestrige Szene dazu. Lotte hat sie mir erzählt! Hör, Werther, 's 'st 'ne starke Szene! Und ich hab' auch dein'n Brief an Lotten drüber gelesen. Hör' Werther, 's Ding 'st nu so! So!

Werther rief: Was meinstu? Meine Liebe ist rein wie die Sonne – Lotte ist ein Engel – vor dem alle Begierden schweigen. –

Albert sagte: Ich glaub 's ja! Aber, hör, Werther, hätt'st 's auch wohl schreiben können, in dem letzten Briefe, worauf du sterben wolltest.

Und so gingen sie zum Abendessen.

In wenigen Monaten ward Werthers und Lottens Hochzeit vollzogen. Ihre ganze Tage waren Liebe, warm und heiter wie die Frühlingstage, in denen sie lebten. Sie lasen auch noch zusammen Ossians Gedichte, aber nicht Selmas Gesang oder den traurigen Tod der schönäugigten Dar-Thula, sondern ein wonniglich Minnelied von der Liebe der reizenden Colna-Dona, „deren Augen rollende Sterne waren, ihre Arme weiß wie Schaum des Stroms, und deren Brust sich sanft hob, wie eine Welle aus dem ruhigen Meere".

Nach zehn Monaten war die Geburt eines Sohns die Losung unaussprechlicher Freude.

Friedrich Nicolai: Die Freuden des jungen Werthers [...]. Zitiert nach dem Wiederabdruck des vollständigen Textes in: Lessings Jugendfreunde. Chr. Felix Weiße [...] Friedrich Nicolai. Hrsg. v. Jacob Minor. Berlin/Stuttgart: W. Spemann o. J. (= Kürschners Deutsche Nationalliteratur, Bd. 72) S. 373–377

Jakob Michael Reinhold Lenz[1]: Der Waldbruder (1776)

Das Romanfragment „Der Waldbruder“ gehört zu den literarisch bedeutendsten Werken in der Wirkungsgeschichte des „Werther“.
Der Held Herz hat sich, nachdem er weit herumgekommen ist, nach vielen Enttäuschungen in den Odenwald zurückgezogen. In seiner einsiedlerischen, naturnahen Existenz denkt er an eine ihm persönlich unbekannte hochgestellte Dame, aus deren geist- und empfindungsreichen Briefen er das Ideal einer Liebeserfüllung herausliest.
Seinem Brieffreund Rothe gelingt es nicht, ihn aus seiner Traumwelt zurückzuholen.

Erster Teil. Erster Brief. Herz an seinen Freund Rothe in einer großen Stadt.
Ich schreibe dir dieses aus meiner völlig eingerichteten Hütte, zwar nur mit Moos und Baumblättern bedeckt, aber doch für Wind und Regen gesichert. Ich hätte mir nie vorgestellt, dass dies Klima auch im Winter so mild sein könne. Übrigens ist die Gegend, in der ich mich hingebaut, sehr malerisch. Grotesk übereinandergewälzte Berge, die sich mit ihren schwarzen Büschen dem herunterdrückenden Himmel entgegenzustemmen scheinen, tief unten ein breites Tal, wo an einem kleinen hellen Fluss die Häuser eines armen, aber glücklichen Dorfs zerstreut liegen. Wenn ich denn einmal heruntergehe und den engen Kreis von Ideen, in dem die Adamskinder so ganz existieren, die einfachen und ewig einförmigen Geschäfte und die Gewissheit und Sicherheit ihrer Freuden übersehe, so wird mir das Herz so enge und ich möchte die Stunde verwünschen, da ich nicht ein Bauer geboren bin. Sie sehen mich oft verwundrungsvoll an, wenn ich so unter ihnen herumschleiche und nirgends zu Hause bin, mit ihrem Scherz und Ernst nicht sympathisieren kann, sodass ich mich am Ende wohl schämen und in ihre Form zu passen suchen

[1] Komödiendichter des deutschen Sturm und Drang (1751 – 1792)

muss, da sie denn ihren Witz nach ihrer Art meisterhaft über meine Unbehelfsamkeit wissen spielen zu lassen. Alles dies beleidigt mich nicht, weil sie meistens Recht haben und ein Zustand wie der meinige durch die äußeren Symptome, die er veranlasst, schon seit Petrarchs Zeiten jedermann zum Gespött dienen muss. Soll ich aber die Wahl haben, so ist mir der Spott des ehrlichen Landmanns immer noch eine Wohltat gegen das Auszischen leerer Stutzer und Stutzerinnen in den Städten.
Wenn du einmal einen geschäftfreien Tag hast, so komm zu mir, du bist der einzige Mensch, der mich noch zuweilen versteht. *Herz.* [...]

Neunter Brief. Rothe an Herz.
Wenn wir uns lange so fortschreiben, so geraten wir beide in eine Geschwätzigkeit, die zu nichts führt. Du willst unterhalten sein, und ich kann und mag dich nicht unterhalten. Alles, was ich dir schrieb, war, um dich zurückzubringen; willst du nicht, so lass bleiben, kurz und gut. Alle deine Klagen und Leiden und Possen helfen dir bei uns zu nichts, wir, deine wahren Freunde und Freundinnen und alle Vernünftigen – verzeih mir's, was können wir anders tun – lachen darüber – ja lachen entweder dich aus der Haut und der Welt hinaus – oder wieder in unsre bunten Kränzchen zurück.
Du tätest also besser, wenn du mir nicht mehr schriebest. Ich komme nicht zu dir, das hab ich verschworen. Aber ich erwarte dich bei mir, wenn du mich wieder einmal zu sehen Lust hast. *Rothe*
Die Antwort auf diesen Brief blieb aus.

Jakob Michael Reinhold Lenz: Der Waldbruder. In: Stürmer und Dränger. 2. Teil. Lenz und Wagner. Hrsg. v. A. Sauer. Berlin/Stuttgart: W. Spemann. o. J. (= Kürschners Deutsche Nationalliteratur, Bd. 8), S. 177ff.

Heinrich von Kleist[1]: Der neuere (glücklichere) Werther (7.1.1811)

Heinrich von Kleist
Miniatur von Peter Friedel, 1810

Zu L..e in Frankreich war ein junger Kaufmannsdiener, Charles C..., der die Frau seines Prinzipals[2], eines reichen, aber bejahrten Kaufmanns namens D..., heimlich liebte. Tugendhaft und rechtschaffen, wie er die Frau kannte, machte er nicht den mindesten Versuch, ihre Gegenliebe zu erhalten: umso weniger, da er durch manche Bande der Dankbarkeit und Ehrfurcht an seinen Prinzipal geknüpft war. Die Frau, welche mit seinem Zustande, der seiner Gesundheit nachteilig zu werden drohte, Mitleiden hatte, forderte ihren Mann unter mancherlei Vorwand auf, ihn aus dem Hause zu entfernen; der Mann schob eine Reise, zu welcher er ihn bestimmt hatte, von Tage zu Tage auf und erklärte endlich ganz und gar, dass er ihn in seinem Kontor[3] nicht entbehren könne. Einst machte Herr D... mit seiner Frau eine Reise zu einem Freunde aufs Land; er ließ den jungen C..., um die Geschäfte der Handlung zu führen, im Hause zurück. Abends, da schon alles schläft, macht sich der junge Mann, von welchen Empfindungen getrieben, weiß ich nicht, auf, um noch einen Spaziergang durch den Garten zu machen. Er kömmt bei dem Schlafzimmer der teuern Frau vorbei, er steht still, er legt die Hand an die Klinke, er öffnet das Zimmer: Das Herz schwillt ihm bei dem Anblick des Bettes, in welchem sie zu ruhen pflegt, empor, und

1 Heinrich von Kleist (1777–1811), ein Dichter zwischen Klassik und Romantik, der zu den wichtigsten deutschen Dramatikern zählt

2 Geschäftsinhaber

3 Geschäftsraum

kurz, er begeht, nach manchen Kämpfen mit sich selbst, die Torheit, weil es doch niemand sieht, und zieht sich aus und legt sich hinein. Nachts, da er schon mehrere Stunden, sanft und ruhig, geschlafen, kommt, aus irgendeinem besonderen Grunde, der hier anzugeben gleichgültig ist, das Ehepaar unerwartet nach Hause zurück; und da der alte Herr mit seiner Frau ins Schlafzimmer tritt, finden sie den jungen C..., der sich, von dem Geräusch, das sie verursachen, aufgeschreckt, halb im Bette erhebt. Scham und Verwirrung bei diesem Anblick ergreifen ihn; und während das Ehepaar betroffen umkehrt und wieder in das Nebenzimmer, aus dem sie gekommen waren, verschwindet, steht er auf und zieht sich an; er schleicht, seines Lebens müde, in sein Zimmer, schreibt einen kurzen Brief, in welchem er den Vorfall erklärt, an die Frau und schießt sich mit einem Pistol, das an der Wand hängt, in die Brust. Hier scheint die Geschichte seines Lebens aus; und gleichwohl (sonderbar genug) fängt sie hier erst allererst an. Denn statt ihn, den Jüngling, auf den er gemünzt war, zu töten, zog der Schuss dem alten Herrn, der in dem Nebenzimmer befindlich war, den Schlagfluss[1] zu: Herr D... verschied wenige Stunden darauf, ohne dass die Kunst aller Ärzte, die man herbeigerufen, imstande gewesen wäre, ihn zu retten. Fünf Tage nachher, da Herr D... schon längst begraben war, erwachte der junge C..., dem der Schuss aber nicht lebensgefährlich durch die Lunge gegangen war: Und wer beschreibt wohl – wie soll ich sagen, seinen Schmerz oder seine Freude?, als er erfuhr, was vorgefallen war, und sich in den Armen der lieben Frau befand, um derentwillen er sich den Tod hatte geben wollen! Nach Verlauf eines Jahres heiratete ihn die Frau; und beide lebten noch im Jahre 1801, wo ihre Familie bereits, wie ein Bekannter erzählt, aus 15 Kindern bestand.

Heinrich von Kleist: Anekdoten und Kurzgeschichten. 1810/11. In: Sämtliche Werke und Briefe. Hrsg. v. Helmut Sembdner. Bd. 2. München: Carl Hanser Verlag 1952, S. 276f.

[1] Schlaganfall

Heinrich Heine[1]: Die Tendenz[2] (1842)

Heinrich Heine. Stahlstich nach anonymer Handzeichnung, um 1830

Deutscher Sänger! Sing und preise
Deutsche Freiheit, dass dein Lied
Unsrer Seelen sich bemeistre 5
Und zu Taten uns begeistre,
In Marseillerhymnenweise[3].

Girre nicht mehr wie ein Werther,
Welcher nur für Lotten glüht –
Was die Glocke hat geschlagen[4] 10
Sollst du deinem Volke sagen,
Rede Dolche, rede Schwerter![5]

Sei nicht mehr die weiche Flöte,
Das idyllische Gemüt –
Sei des Vaterlands Posaune, 15
Sei Kanone, sei Kartaune[6],
Blase, schmettre, donn're, töte!

Blase, schmettre, donn're täglich,
Bis der letzte Dränger flieht –[7]
Singe nur in dieser Richtung, 20
Aber halte deine Dichtung
Nur so allgemein als möglich.

Heinrich Heine: Historisch-kritische Ausgabe der Werke. In Verbindung mit dem Heinrich-Heine-Institut hrsg. v. Manfred Windfuhr. Band 2: Neue Gedichte. Bearbeitet von Elisabeth Genton. Hamburg: Hoffmann und Campe 1983, S. 119f.

---

1 Heinrich Heine (1797–1856) gehört zu den bekanntesten Autoren des Jungen Deutschland und ist im Ausland der berühmteste deutsche Lyriker neben Goethe.
2 Die politische Dichtung aus dem Anfang der 1840er-Jahre war unter dem Schlagwort ‚Tendenzdichtung' bekannt. Der Begriff wird bei Heine negativ verstanden.
3 Marseillaise: französische Revolutionshymne (1792)
4 Zitat aus dem traditionellen Lied des Nachtwächters
5 Zitat aus Shakespeares ‚Hamlet', III, 2: „Nur reden will ich Dolche!"
6 großes Geschütz
7 In der Vorlage zum Erstdruck hieß es: „Bis die Tyrannei entflieht", was der Zensor in „der letzte Druck" und Heine schließlich in die jetzige Fassung änderte.

Ulrich Plenzdorf: Die neuen Leiden des jungen W. (1972)

„Die neuen Leiden des jungen W." des (1934 geborenen) Schriftstellers Ulrich Plenzdorf wurde 1972 in Prosa in der Zeitschrift „Sinn und Form" abgedruckt und ein Jahr später als Bühnenstück aufgeführt – mit großem Erfolg beim Publikum. Edgar Wibeau, einem jungen Mann in einer kritischen Selbstfindungsphase, schwankend zwischen Nonkonformismus und Anpassung, bleibt in der sozialistischen DDR zur Selbstverwirklichung nur der Weg des Aussteigers.

Suhrkamp Verlag (Umschlagtext)

Er schmeißt die Lehre, rennt von zu Hause fort und versteckt sich in einer Wohnlaube. Hier fühlt er sich frei, keine Sauberkeit, Ordnung, Pünktlichkeit, ohne Mutter, die das Briefgeheimnis bricht. Hier macht er Musik, »nicht irgendeinen Händelsohn Bacholdy, sondern echte Musik«, singt und spielt ein Lied auf Blue Jeans. Schläft, malt und tanzt mit sich allein. Auf dem Nachbargrundstück lernt er Charlie kennen, die zwanzigjährige Kindergärtnerin.

[In der Gartenlaube]
Was ich also meine, ist: Ich hatte keinen Lesestoff. Oder denkt einer, ich hätte vielleicht Bücher mitgeschleppt? Nicht mal meine Lieblingsbücher. Ich dachte, ich wollte nicht Sachen von früher mit rumschleppen. Außerdem kannte ich die zwei Bücher so gut wie auswendig. Meine Meinung zu Büchern war: Alle Bücher kann kein Mensch lesen, nicht mal alle sehr guten. Folglich konzentrierte ich mich auf zwei. Sowieso sind meiner Meinung nach in jedem Buch fast *alle* Bücher. Ich weiß nicht, ob mich einer versteht. Ich meine, um ein Buch zu schreiben, muss einer ein paar tausend Stück andere gelesen haben. Ich kann's mir jedenfalls nicht anders vorstellen. Sagen wir: dreitausend. Und jedes davon hat einer verfasst, der selber dreitausend gelesen hat. Kein Mensch weiß, wie viel Bücher es gibt. Aber bei dieser einfachen Rechnung kommen schon ...zig Milliarden und das mal zwei raus. Ich fand, das reicht. Meine zwei Lieblingsbücher waren: Robinson Crusoe[1]. Jetzt wird vielleicht einer grinsen. Ich hätte das nie im Leben zugegeben. Das andere war von diesem Salinger[2]. Ich hatte es durch puren Zufall in die Klauen gekriegt. Kein Mensch kannte das. Ich meine: Kein Mensch hatte es mir empfohlen oder so. Bloß gut. Ich hätte es dann nie angefasst. Meine Erfahrungen mit empfohlenen Büchern waren hervorragend mies. Ich Idiot war so verrückt, dass ich ein empfohlenes Buch blöd fand, selbst wenn es gut war. Trotzdem werd ich jetzt noch blass, wenn ich denke, ich hätte dieses Buch vielleicht nie in die Finger gekriegt. Dieser Salinger ist ein edler Kerl. Wie er da in diesem nassen New York rumkraucht und nicht nach Hause kann, weil er von dieser Schule abgehauen ist, wo sie ihn sowieso exen wollten, das ging mir immer ungeheuer an die Nieren. Wenn ich seine Adresse gewusst hätte, hätte ich ihm geschrieben, er soll zu uns rüberkommen. Er muss genau in meinem Alter gewesen sein. Mittenberg war natürlich ein Nest gegen New York, aber erholt hätte er sich hervorragend bei uns.

1 Roman von Daniel Defoe (1660–1731)
2 Jerome D. Salingers „Fänger im Roggen" („The Catcher in the Rye", 1951)

Vor allem hätten wir seine blöden sexuellen Probleme beseitigt. Das ist vielleicht das Einzige, was ich an Salinger nie verstanden habe. Das sagt sich vielleicht leicht für einen, der nie sexuelle Probleme hatte. Ich kann nur jedem sagen, 5 der diese Schwierigkeiten hat, er soll sich eine Freundin anschaffen. Das ist der einzige Weg. Ich meine jetzt nicht, irgendeine. Das nie. Aber wenn man zum Beispiel merkt, eine lacht über dieselben Sachen wie man selbst. Das ist schon immer ein sicheres Zeichen, Leute. Ich hätte Salin- 10 ger sofort wenigstens zwei in Mittenberg sagen können, die über dieselben Sachen gelacht hätten wie er. Und wenn nicht, dann hätten wir sie dazu gebracht.

Wenn ich gewollt hätte, hätte ich mich hinhauen können und das ganze Buch trocken lesen können oder auch den 15 Crusoe. Ich meine: Ich konnte sie im Kopf lesen. Das war meine Methode zu Hause, wenn ich einer gewissen Frau Wibeau mal wieder keinen Ärger machen wollte. Aber darauf war ich schließlich nicht mehr angewiesen. Ich fing an, Willis Laube nach was Lesbarem durchzukramen. Du 20 Scheiße! Seine Alten mussten plötzlich zu Wohlstand gekommen sein. Das gesamte alte Möblement einer Vierzimmerwohnung hatten sie hier gestapelt, mit allem Drum und Dran. Aber kein lumpiges Buch, nicht mal ein Stück Zeitung. Überhaupt kein Papier. Auch nicht in dem Loch 25 von Küche. Eine komplette Einrichtung, aber kein Buch. Willis alte Leute mussten ungeheuer an ihren Büchern gehangen haben. In dem Moment fühlte ich mich unwohl. Der Garten war dunkel wie ein Loch. Ich rannte mir fast überhaupt nicht meine olle Birne an der Pumpe und an 30 den Bäumen da ein, bis ich das Plumpsklo fand. An sich wollte ich mich bloß verflüssigen, aber wie immer breitete sich das Gerücht davon in meinen gesamten Därmen aus. Das war ein echtes Leiden von mir. Zeitlebens konnte ich die beiden Geschichten nicht auseinanderhalten. Wenn ich 35 mich verflüssigen musste, musste ich auch immer ein Ei legen, da half nichts. Und kein Papier, Leute. Ich fummelte wie ein Irrer in dem ganzen Klo rum. Und dabei kriegte ich dann dieses berühmte Buch oder Heft in die Klauen. Um irgendwas zu erkennen, war es zu dunkel. Ich opferte 40 also zunächst die Deckel, dann die Titelseite und dann die

letzten Seiten, wo erfahrungsgemäß das Nachwort steht, das sowieso kein Aas liest. Bei Licht stellte ich fest, dass ich tatsächlich völlig exakt gearbeitet hatte. Vorher legte ich aber noch eine Gedenkminute ein. Immerhin war ich soeben den letzten Rest von Mittenberg losgeworden. Nach zwei Seiten schoss ich den Vogel in die Ecke. Leute, das konnte wirklich kein Schwein lesen. Beim besten Willen nicht. Fünf Minuten später hatte ich den Vogel wieder in der Hand. Entweder ich wollte bis früh lesen oder nicht. Das war meine Art. Drei Stunden später hatte ich es hinter mir.
Ich war fast gar nicht sauer! Der Kerl in dem Buch, dieser Werther, wie er hieß, macht am Schluss Selbstmord. Gibt einfach den Löffel ab. Schießt sich ein Loch in seine olle Birne, weil er die Frau nicht kriegen kann, die er haben will, und tut sich ungeheuer leid dabei. Wenn er nicht völlig verblödet war, musste er doch sehen, dass sie nur darauf wartete, dass er was *machte,* diese Charlotte. Ich meine, wenn ich mit einer Frau allein im Zimmer bin und wenn ich weiß, vor einer halben Stunde oder so kommt keiner da rein, Leute, dann versuch ich doch *alles*. Kann sein, ich handle mir ein paar Schellen ein, na und? Immer noch besser als eine verpasste Gelegenheit. Außerdem gibt es höchstens in zwei von zehn Fällen Schellen. Das ist Tatsache. Und dieser Werther war ...zigmal mit ihr allein. Schon in diesem Park. Und was macht er? Er sieht ruhig zu, wie sie heiratet. Und dann murkst er sich ab. Dem war nicht zu helfen.
Wirklich leid tat mir bloß die Frau. Jetzt saß sie mit ihrem Mann da, diesem Kissenpuper. Wenigstens daran hätte Werther denken müssen. Und dann: Nehmen wir mal an, an die Frau wäre wirklich kein Rankommen gewesen. Das war noch lange kein Grund, sich zu durchlöchern. Er hatte doch ein Pferd! Da wär ich doch wie nichts in die Wälder. Davon gab's doch damals noch genug. Und Kumpels hätte er eins zu tausend massenweise gefunden. Zum Beispiel Thomas Müntzer[1] oder wen. Das war nichts Reelles. Reiner Mist. Außer-

[1] Theologe und Revolutionär, hingerichtet bei Mühlhausen, Thüringen, 1525 (!)

dem dieser Stil. Das wimmelte nur so von Herz und Seele und Glück und Tränen. Ich kann mir nicht vorstellen, dass welche so geredet haben sollen, auch nicht vor drei Jahrhunderten. Der ganze Apparat bestand aus lauter Briefen, von diesem unmöglichen Werther an seinen Kumpel zu Hause. Das sollte wahrscheinlich ungeheuer originell wirken oder unausgedacht. Der das geschrieben hat, soll sich mal meinen Salinger durchlesen. *Das* ist echt, Leute!
Ich kann euch nur raten, ihn zu lesen, wenn ihr ihn irgendwo aufreißen könnt. Reißt euch das Ding unter den Nagel, wenn ihr es bei irgendwem stehen seht, und gebt es nicht wieder her!

Ulrich Plenzdorf: Die neuen Leiden des jungen W. Frankfurt a. M.: Suhrkamp Verlag 1975. © Hinstorff/Rostock

Hanns-Josef Ortheil: Faustinas Küsse (1998)

Zentrale Figur des Romans (des 1951 in Köln geborenen Schriftstellers Hanns-Josef Ortheil) ist der berühmteste aller Italienreisenden: Goethe.
Der junge Römer Giovanni Beri lebt von Gelegenheitsarbeiten und bedient nebenher den Klerus des Vatikans mit allerlei Informationen. Zu diesem Zweck observiert er einen geheimnisvollen Unbekannten aus Deutschland, der inkognito nach Italien gereist ist. Beri erfährt, dass der Fremde der Weimarer Minister und Dichter Goethe ist. Um diese Person genauer kennenzulernen, liest er den „Werther"-Roman.

Goldmann Verlag, München

Es ging also um einen gewissen Werther, der sich gleich auf den ersten Seiten vorstellte, laut, aufdringlich und schwärmerisch. Mein Gott, wie leicht war dieser Mensch zu erregen! Alles beunruhigte ihn, die Natur, das Leben in der Stadt, die Menschen – und alles war ein Grund zur Klage und Sorge! Warum war dieser Bursche bloß so überheblich? Wie es schien, verstand er von nichts so richtig etwas, er war ein eitler Schwätzer und Redner, der alle mit seinen verdrehten Meinungen bestürmte, selbst die, die auch gut ohne ihn zurechtkamen. Er aber wusste alles anscheinend besser, als wäre er schon ein alter und erfahrener Mensch, während er doch noch ein junger Mann war, ahnungslos und ohne Beruf.
Beri schüttelte den Kopf, er konnte sich diese Lektüre nicht allzu lange antun, sie machte ihn missmutig und erinnerte ihn manchmal sogar an seine kaum vergangenen, schwächeren Tage. Etwas Niederziehendes, Trauriges war in diesem Werther, etwas, das einem die gute Laune erheblich verdarb, sodass man gegen das Gelesene ankämpfen musste, mit ein paar Gläsern Wein! Am besten, er schloss das Buch zunächst einmal ein, ja, solche Bücher musste man einsperren und sich rasch von ihnen entfernen, damit sie nicht mächtiger wurden, als einem lieb war. Beri verließ sein Quartier und streunte durch die Stadt, er hatte schließlich noch anderes zu tun als zu lesen, neue Möbel wollte er sich kaufen und neue Kleidung, das erfordert einen guten und frischen Blick.
Und so begann Giovanni Beri sich abzulenken, er ließ einen schönen Tisch und sechs kleine Stühle hinaufschaffen in seine Zimmer und er kaufte sich einen blauen Rock, gute Hemden aus Seide, eine dunkelrote Schärpe und graue Beinkleider, so weich und kostbar, dass man nur mit einem Schaudern an ihrem Stoff entlangstreichen konnte.
Inzwischen hatte er sich daran gewöhnt, den unten wartenden Kindern aus seinen Fenstern dann und wann eine Münze zuzuwerfen. Sie schwärmten aus, holten ihm Blumen, Wein und Obst oder brachten ihm das frisch Gesottene und Gebratene all die Stufen hinauf, sodass er nicht einmal ausgehen brauchte, um sich von den besten Speisen

der Garküchen zu ernähren. So hatte er das Gefühl, alle Wünsche würden ihm sofort erfüllt, und er schlug sich manchmal vor Übermut selbst ins Gesicht, als müsste er sich mäßigen, um nicht lauthals zu lachen.

5 Die Lektüre des schmalen Romans setzte er fort, aber er versuchte, die Rationen zu begrenzen. Denn er spürte bald, dass von diesem Buch etwas Bitteres ausging, ja, er hatte sofort geahnt, dass es schlimm enden würde, sehr schlimm, und wenn er etwas hasste, dann waren es

10 Bücher, denen dieses schlimme Ende auf den ersten Seiten schon anzumerken war. Die Nordmenschen liebten anscheinend solche Bücher, gleich zu Beginn hielt man die Luft an, und während man las, wurde die Luft immer knapper, bis es endlich eine Leichenluft war, stickig und nicht zu

15 ertragen.

Er, Beri, hätte sich lieber eine richtige Handlung gewünscht, einen heftigen, schonungslosen Streit, etwas Männliches, Strenges, doch dieser Werther war keine männliche Natur, er war ein Herumschleicher, weich und gefühlig, in dessen

20 Gegenwart man keinen einzigen Tag hätte verbringen wollen. ‚Beherrsch dich!', raunte Beri ihm zu und verstand nicht, wie sich dieser Mensch immer wieder so gehenlassen konnte. Alle Augenblicke kamen dem die Tränen, schon der Anblick von ein paar Kindern genügte, um ihn weinen

25 zu lassen.

Und nun hatte er sich auch noch verliebt! Seine große Liebe hieß Lotte, und es war weiß Gott nicht zu begreifen, was diese Lotte so auszeichnen sollte. Dass sie gut Brot schneiden konnte für ihre kleinen Geschwister? Dass sie

30 nicht schlecht war im Tanzen? Und warum spielte es überhaupt eine Rolle, dass diese Lotte verlobt war? Verlobt hin oder her, wenn dieser Werther sie wollte, so gab es nichts zu seufzen und nichts zu schmachten, er musste sie nehmen, rasch, sie würde schon wollen!

35 Der aber vertat seine Zeit mit allerhand Reden, sich zeigen! Was stellte er sich denn bloß so an? Einmal beherzt zugegriffen, einmal die Liebe herausgeschrien und elegant geworben – das hätte dieser Lotte doch Eindruck machen müssen, zumal ihr Verlobter ein ausgesprochener Esel und

40 Langweiler zu sein schien, ein Nichts von einem Mann, ei-

ne Amtsstubengestalt, etwas widerlich Kleinkrämerhaftes!
Beri spuckte aus und packte das Büchlein wieder zur Seite.
Wie unruhig einen dieses Lesen machte, es war oft kaum
zu ertragen! So einfach wäre er diesem Werther zur Seite
gesprungen und hätte ihn auf den richtigen Weg gebracht! 5
Es war eine Schande, dass man nicht in die Bücher hineinspringen konnte, um das schlimme Ende noch abzuwenden. Ihm wäre so etwas gelungen, denn er hätte aus diesem Werther einen Römer gemacht, einen wirklich leidenschaftlichen Menschen, der seine Leidenschaften nicht 10
bloß spielte oder verheimlichte und sich scheute, sie der Geliebten zu bekennen! Was machten Leidenschaften überhaupt für einen Sinn, wenn man sie für sich behielt? Oh, diese Nordmenschen litten einfach zu viel, und außerdem liebten sie falsch! 15
Er lief eine Weile am Tiber entlang, um sich zu beruhigen. Immer, wenn ihm dieser Werther in den Sinn kam, erinnerte er ihn an den Minister aus Weimar, ja, irgendwie konnte er sich Werther nicht vorstellen, ohne sich Goethe vorzustellen. Die beiden ergänzten einander, nein, im 20
Grunde waren sie ja eine Gestalt, auch dieser Goethe hatte etwas Überhebliches, Schwärmerisches und anscheinend behielt auch er alle Leidenschaften für sich, jedenfalls hatte er, Beri, noch keine einzige an ihm entdeckt, mit der er sich ins Freie, nach draußen, gewagt hätte. Höchstens 25
das Reden, ja, das Reden war so etwas wie Goethes Leidenschaft, aber er betrieb es im kleinen Kreis, unter seinen Freunden, oder in Gegenwart des Berliner Professors, den er damit benebelte.
Konnte Goethe denn überhaupt lieben? Hatte er einmal 30
geliebt? War es ihm am Ende so ähnlich ergangen wie diesem Werther?
Beri blieb stehen, plötzlich glaubte er diesem fernen Menschen ganz nahe zu sein, er sah sein Bild nun ganz deutlich, den weiten Reisemantel, den großen Hut, und in all diesen 35
Verkleidungen verbarg sich vielleicht eine schwache, hilflose Natur, die sich alle Leidenschaften versagte.
Dieser Goethe war krank, das glaubte er, Beri, gewiss. Und diese Krankheit hatte etwas zu tun mit den langen Jahren als Minister in Weimar und mit dem Ende des Dichtens. 40

Vielleicht steckte dahinter aber noch mehr, vielleicht hatte dieser arme Mensch einmal geliebt, hatte sich schlimm in der Liebe getäuscht und war bitter geworden und scheu! Vielleicht blieb er deshalb so fern von allen Menschen und suchte die Schönheit in stummen, gipsernen Wesen, zu denen in den Nächten höchstens die Katzen aufblickten!
Beri setzte sich ans Ufer. Was hatte diesen Menschen so krank gemacht? Musste es nicht etwas Furchtbares, Finsteres sein? Die Flamme einer nicht erwiderten, nicht erfüllten Liebe, die jahrelang in ihm brannte, bis sie all sein Dichten und Trachten zerstört hatte? Ach, auf solche Fragen hätte er zu gern eine Antwort gewusst, doch vorerst musste er lesen.
Er warf einen Ast ins Wasser und schaute, wie er davontrieb. Jetzt verstand er, warum dieses Buch die Nordmenschen so unglücklich machte. Es verführte sie durch Mitleid mit diesem schwachen, haltlosen Schwätzer, es ließ sie miterleben, wie ein junger Mensch sehenden Auges zugrunde ging!
Beri riss sich von dem Anblick des davontreibenden Astes los und stand eilig auf. Immer wieder geriet er ins Schwitzen, wenn er an diesen Werther dachte. Ein Teufelszeug war dieses Buch, aber ihm konnte es nichts anhaben, ihm nicht!
Am besten, er mischte sich jetzt unter Menschen. Unter dem Einfluss dieses Goethe hatte er ja schon beinahe begonnen, ein einzelgängerisches Leben zu führen. Weiter unten, da hörte man die Stimmen aus der schönen Osteria nahe dem Tiber! Dort wollte er einen Wein trinken, auch zwei, und er würde erzählen, wie sich die Nordmenschen die Liebe dachten und wie sie alles daransetzten, durch die Liebe das Unglück zu finden.

Hanns-Josef Ortheil: Faustinas Küsse. Roman. München: Luchterhand Literaturverlag GmbH 1998, S. 153–157 (gekürzt)

Rafik Schami/Uwe-Michael Gutzschhahn: Der geheime Bericht über den Dichter Goethe (1999)

Carl Hanser Verlag (Titelbild der Erstausgabe)

In dem Buch des (1946 in Damaskus geborenen) Syrers Rafik Schami, der seit 1971 in der Bundesrepublik lebt – von 1982 an als freier Schriftsteller – und des (1952 geborenen) deutschen Schriftstellers Uwe-Michael Gutzschhahn spielt Goethes „Werther"-Roman eine wesentliche Rolle: Sultan Hakim, Herrscher über den kleinen arabischen Inselstaat Hulm, träumt von einer friedlichen Welt. Er beschließt zusammen mit seinem deutschen Freund Thomas, der Asyl auf der Insel genießt und „Prinz Tuma" genannt wird, einen Dialog zwischen Orient und Okzident zu beginnen. Die Jugend der Insel soll die besten Dichter der Welt kennenlernen und durch sie die fremden Kulturen besser verstehen. Wer diese besten Dichter sind, wird durch einen gelungenen Vortrag vor einer geheimen Kommission entschieden.

DIE--ERSTE--NACHT, IN--DER--VON--DEN--LEIDEN--DES JUNGEN--WERTHERS--UND--VON--DER ABSOLUTEN--LIEBE--ERZÄHLT--WURDE

Prinz Tuma verabschiedete sich und machte sich auf den langen Weg nach Berlin. Ein Jahr lebte er dort, und als er zurückkam, war ein kleiner Lastwagen notwendig, um all die Bücher und Hefte zu transportieren, die er aus Deutschland mitbrachte. Unser geliebter Sultan hat Prinz Tuma bei seiner Rückkehr persönlich am Hafen empfangen, und seine Ankunft wurde in allen Ehren gefeiert. Tuma er-

zählte einen ganzen Abend von seinen Abenteuern. Allein darüber könnte man ein dickes Buch schreiben, doch Seine Majestät, Sultan Hakim Ben Zaki Chaligi, wünschte an diesem Abend noch kein Protokoll.
Prinz Tuma sollte sich ein halbes Jahr nehmen, um dann vorbereitet vor die Kommission zu treten. Das war wahrlich keine allzu lange Zeit. Die Kommission war äußerst streng, und sie hatte bereits mehr als die Hälfte der vorgeschlagenen Dichter anderer Nationen abgelehnt. So hatten bald alle Sprecher verstanden, wie ernst der Sultan und seine Kommission die Sache nahmen, und versuchten ihre Dichter und Denker noch überzeugender vorzustellen.
Zu jedem Redner sagte der Sultan: „Nutze die Zeit und überzeuge uns, denn bald wollen die anderen ihre Dichter und Denker vorstellen, und du kommst – wenn überhaupt – erst in einem halben Jahr wieder dran. Du darfst in dieser Runde mit allen Mitteln deinem Auserwählten huldigen, nur eins sollst du nicht tun: uns langweilen."
So sprach er auch zu seinem besten Freund, Prinz Tuma, als dieser an der Reihe war. Hier ist das Protokoll, das ich wortgetreu aufgeschrieben habe.

Prinz Tuma stand mitten in dem kleinen blauen Salon, und die Kommission saß im Halbkreis um ihn herum. Sultan Hakim nahm genau ihm gegenüber Platz. Insgesamt zwölf Mitglieder hatte die Kommission, vier Frauen und acht Männer. Sultan Hakim führte als dreizehntes Mitglied die Versammlung. Die Namen der Kommissionsmitglieder sollen wie in den früheren Berichten geheim bleiben, um ihnen durch die Anonymität die völlige Freiheit der Meinungsäußerung zu gewährleisten.
Tuma begann:
„Lieber Bruder und gerechter Herrscher Hakim, verehrte Damen und Herren der Gelehrtenkommission, ich habe die Ehre, euch die besten Denker Deutschlands vorzustellen. Wenn man die deutsche Seele verstehen will, so sollte man wenigstens Goethe, Heine, Nietzsche und Schopenhauer lesen. Ich habe ihre Werke und noch einige andere mitgebracht, die ich euch, wenn ihr erlaubt, in den nächsten Jahren nach und nach vorstellen möchte.

Heute beginne ich mit dem Fürsten dieser Dichter und Denker: Johann Wolfgang von Goethe.
Das Leben des großen Dichters Johann Wolfgang von Goethe ist so reich und vielschichtig, dass ich mindestens sieben Nächte brauchen würde, um es euch auch nur ein wenig anschaulich zu illustrieren. Und doch würdet ihr nur das dürre Gerüst der Fakten haben, nicht aber den ganzen Boden der Poesie. Aber wie sollte ich sieben Nächte vor euch verbringen, ohne je über seine großen Werke zu sprechen, allein nur über sein Leben? Ihr würdet mich drängen, endlich zur Sache zu kommen. Wollte ich es dagegen heute an einem Abend erledigen, so täte ich dem Meister und euch Gewalt an, denn nichts würde euch anschaulich werden. Ein solch spröder Bericht würde dem schillernden Leben des Dichters jede Farbe nehmen.
Lieber will ich direkt in den Ozean seiner Dichtung springen und euch auf ihren Wellen tragen und in ihre Tiefe entführen. Goethes Poesie ist immer anschaulich und letzten Endes dauerhafter als ihr Schreiber. Ganz am Ende meines Berichtes, wenn alles gesagt ist, will ich dem Protokollanten ein paar Blätter über das Leben des Dichters überreichen, die alle wichtigen Daten und Taten dieses großen Mannes enthalten.
Das erste Werk, mit dem ich euch Goethe vorstellen möchte, ist sein Roman ‚Die Leiden des jungen Werthers'. Er machte den jungen Dichter über Nacht berühmt. Es geht in dem Buch um die Suche nach der absoluten Liebe, für die es keine Möglichkeit der Erfüllung gibt."
Der Sultan lächelte. „Bei Gott, Goethes Herz schlägt ja orientalisch, denn die Hälfte unserer Dichtung berichtet von unerfüllter Liebe. Denkt nur an Qais und Leila, die durch die Geschichte ‚Leila und Madschnun' berühmt wurden. Hier wurde die Liebe verhindert, weil Qais zu laut die Schönheit seiner Angebeteten pries. Das betrachtete ihr Vater als Schande und verheiratete sie mit einem anderen. Daraufhin verlor Qais den Verstand und zog, seine Geliebte besingend, herum, bis er elendig starb. Irgendwann wusste man seinen Namen nicht mehr und nannte ihn nur noch Madschnun, den Verrückten der Leila."

Diese Worte entzündeten bei den Mitgliedern der Kommission die Erinnerung an tausendundeine Geschichte von ähnlicher absoluter und unerfüllter Liebe. Ich konnte aus dem Stimmengewirr keinen vernünftigen Satz mehr heraushören. Mir ist nur Prinz Tuma aufgefallen, der allein stand und lächelte ...
Der Sultan bat um Ruhe, doch die Gemüter waren schon zu sehr in Aufregung geraten. Seine Bitte bewirkte aber immerhin, dass die Worte nun aus dem Knäuel der Stimmen entwirrt werden konnten.
„Mich hat besonders geärgert, dass immer so großzügig vom Leid der Männer erzählt wird. Ich habe als Studentin häufig die Verse gezählt, in denen vom Schmerz der Frauen, die an solchen Tragödien beteiligt waren, berichtet wurde. Ich fand heraus, dass die nicht einmal zehn Prozent ausmachen", meldete sich eine junge Gelehrte zu Wort.
„Wer weiß, vielleicht sind Frauen, wenn es um den Verstand geht, doch das stärkere Geschlecht und die Männer im Grunde ihrer Seele nur Jammerwesen", erwiderte ein alter blinder Gelehrter mit melodischer Stimme.
„Nun gut", rief einer der jüngeren Männer der Kommission, „lassen wir uns doch von Prinz Tuma mit der Zunge Goethes über die unerfüllte Liebe erzählen."
Der Kreis der Frauen und Männer wurde still.
„Der Roman ‚Die Leiden des jungen Werthers' ist eines der größten Werke des Meisters", begann Tuma. „Wenn ich bereits zu Lebzeiten Goethes vor diese Kommission hätte treten müssen, hätte ich vermutlich sogar gesagt, es handle sich um sein größtes Werk überhaupt. Denn genau dafür hielt man den Roman ‚Die Leiden des jungen Werthers', und man hat Goethe lange Zeit zuallererst mit diesem Werk in Verbindung gebracht. Noch nach fünfundzwanzig Jahren, als er auf dem Höhepunkt seines Schaffens war, sprach ihn sogar der französische Kaiser Napoleon I. bei einer Begegnung sogleich auf dieses Buch an, das er, wie Goethe befriedigt feststellte, *durch und durch mochte studiert haben.* Die ‚Leiden des jungen Werthers' gehörten in der Tat zu Napoleons Lieblingslektüre, und er hatte das Buch in seiner Feldbibliothek gleich neben den beiden von ihm hochverehrten Autoren der fran-

zösischen Revolutionszeit, Voltaire und Rousseau, einordnen lassen.
Mit dem ‚Werther' hatte Goethe die Herzen einer ganzen Generation, in Deutschland ebenso wie im übrigen Europa, erobert. Das ist umso erstaunlicher, weil der Dichter den Roman im Februar/März 1774, also im Alter von noch nicht einmal fünfundzwanzig Jahren und in kaum mehr als vier Wochen niedergeschrieben hat. Goethe selbst hatte zwei Jahre zuvor eine unglückliche Liebe durchlitten. Seit damals bereitete er den Roman vor. Die Atemlosigkeit, mit der er ihn aber nun zu Papier brachte, lässt sich leicht als Akt der Befreiung von eigenen Erinnerungen deuten. Eine unglaubliche Leistung für jemanden, der zuvor lediglich eine Reihe von Gedichten und ein Theaterstück publiziert hatte.
Der ‚Werther' konnte gar nicht schnell genug unter die Leute kommen. Im selben Jahr folgten noch zwei vom Autor korrigierte und genehmigte Nachdrucke, aber auch die waren nicht in der Lage, die riesige Nachfrage zu befriedigen. Es erschienen darum mancherlei Raubdrucke, die zwar den Text mit vielen Fehlern wiedergaben, aber doch die Neugier der Leser befriedigten, denn Goethes Geschichte war überall in der Diskussion.
Das aber ist nun wahrlich kein Wunder, denn Goethe hatte eine Geschichte geschaffen, die die Seele berührte und zugleich die Köpfe verwirrte. Sie wirkte wie ein Paukenschlag, mit dem Goethe die zeitgenössische Gesellschaft aufrüttelte, die selbstzufrieden an den Fortschritt durch die Vernunft glaubte und alle überbordenden Gefühle ungläubig in ihre Schranken verwies. Wie immer in solchen Fällen war es die Jugend, die gegen die Väter rebellierte. Ihr kam Goethes Roman gerade recht, denn er ist die Geschichte einer grenzenlosen, absoluten Liebe, die keine gesellschaftlichen Bedingungen anerkennt, sondern einzig der Stimme des Herzens folgt. Ich will euch diese Geschichte in groben Zügen erzählen. Und ich hoffe, dass ihr ein wenig von meiner Wiedergabe ergriffen werdet, denn der ‚Werther' verdient eure Aufmerksamkeit."

Rafik Schami/Uwe-Michael Gutzschhahn: Der geheime Bericht über den Dichter Goethe, der eine Prüfung auf einer arabischen Insel bestand. München/Wien: Carl Hanser Verlag, 1999, S. 25–29

V. Arbeitshilfen und methodische Hinweise zur Textanalyse und -erörterung

1. Hendrik Madsen: Der Begriff „Kontext“ und seine Bedeutung für die Interpretation[1]

Unter einem **Kontext** (lat. *contextus,* „Zusammenhang, Verknüpfung“) wird im engeren Sinne der sinnstiftende Zusammenhang eines Wortes oder Zitats mit seiner Umgebung im Schriftwerk verstanden. Diese Kontext-Bedeutung kann man als **innertextuelle** bezeichnen, da von Elementen (Wörtern, Sätzen, Sinnabschnitten) die Rede ist, die innerhalb eines Textes aufeinander bezogen sind.
Die Auseinandersetzung mit dichterischen Texten kann sich aber nicht auf diese Texte allein beziehen, als seien sie nur aus „sich selbst heraus“ zu verstehen, als trügen sie ihre Bedeutung allein in sich, da sie ein in sich geschlossenes Ganzes bildeten und autonom seien. Man wird vielmehr über diesen „werkimmanenten“ Ansatz hinausgehen und weitere Kontexte in die Analyse und Interpretation einbeziehen, nämlich den **intertextuellen** und den **extratextuellen Kontext.** Unter einem intertextuellen (lat. *inter,* „zwischen“) Kontext versteht man den Zusammenhang eines Textes mit anderen Texten (z.B. literarischen Bezügen/Zitaten); ein extratextueller (lat. *extra,* „außerhalb“) Kontext umfasst alle anderen Bezugsmöglichkeiten, die nicht über Texte herstellbar sind (Biografie des Autors, Anspielungen auf bildende Kunst, Musik usw.). Intertextueller

---

[1] Zur Vertiefung bzw. Weiterarbeit sei hingewiesen auf: Karl-Heinz Hucke/Hermann Korte: Literaturgeschichte. Ansichten ihrer pädagogischen Provinz. Paderborn 1985. Besonders die Seiten 42–55 und 67–70; Cordula Kahrmann/Gunter Reiß/Manfred Schluchter: Erzähltextanalyse. Eine Einführung mit Studien- und Übungstexten. Königstein/Ts., 4. Aufl. 1996, S. 53–55 und 182–186; Jürgen Schutte: Einführung in die Literaturinterpretation. Stuttgart 1990 (= Sammlung Metzler. Band 217), S. 75–93 und 190–197

und extratextueller Kontext wirken in der (Literatur-) Geschichte zusammen: Die Literatur als Kunst ist Teil der Geschichte des gesellschaftlichen Bewusstseins.
Die Zusammenhänge der drei Kontextarten können schematisch wie folgt dargestellt werden:

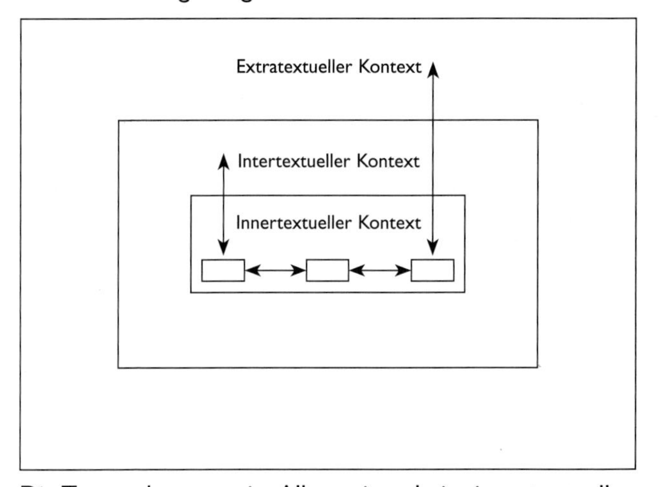

Die Text*analyse* setzt im Allgemeinen beim innertextuellen Kontext ein, da nur so die künstlerische Struktur des Textes, seine Besonderheit erfasst werden kann: Die Analyse der einzelnen Besonderheiten innerhalb eines Textes und ihr funktionales Verhältnis zueinander lässt erst Rückschlüsse auf die Gesamtkonzeption zu. Damit ist dann die Grundlage für eine weitergehende *Interpretation* erarbeitet: „Sie gibt Auskunft darüber, wie die beobachteten und beschriebenen Besonderheiten im Sinnzusammenhang des Textes verstanden werden können, und teilt mit, welche Bedeutung der Text aufgrund seiner ästhetischen Struktur für den Interpreten hat. Dabei reflektiert er die Bedingungen des Textverstehens und berücksichtigt die geschichtliche Bedingtheit des Textes, das (synchrone oder diachrone) Bezugsfeld, in dem der Text steht."[1]

[1] Rainer Madsen: Geschichte der deutschen Literatur in Beispielen. Von den Anfängen bis zur Gegenwart. Hrsg. v. Johannes Diekhans. Paderborn 1999, S. 387f.

Zur Textanalyse gehört die Erläuterung literarischer Anspielungen oder Zitate, also der Bezug auf intertextuelle Größen; damit wird ein differenzierteres Verständnis des zu untersuchenden Textes ermöglicht: Es kann nach der literaturgeschichtlichen Entwicklung eines erkannten Motivs durch Vergleich mit Werken aus anderen Epochen gefragt werden, der geistesgeschichtliche Hintergrund kann durch die Analyse von auftretenden Zitaten aus Bereichen wie Philosophie oder Religion bestimmt werden, oder es können Überlegungen zur Wirkung auf andere literarische Werke (zur Wirkungsgeschichte) angestellt werden.
Auch extratextuelle Verbindungen sind herstellbar, z.B. zur Biografie des Autors oder zu den Entstehungsbedingungen eines literarischen Textes, und geben Aufschluss über den geschichtlichen Stellenwert eines einzelnen Werkes innerhalb eines Gesamtwerkes, über biografische und gesellschaftliche Einflüsse. Die Materialauswahl in dem vorliegenden Band bietet solche Bezugsmöglichkeiten: sowohl zu intertextuellen als auch zu extratextuellen Kontexten, die ebenso produktionsorientierte wie wirkungsorientierte Deutungsansätze nahelegen.
Die Interpretation nutzt die Ergebnisse der Analyse und deckt zeitgeschichtliche Bewusstseinsinhalte auf, die in dem literarischen Text ihre künstlerische Verarbeitung erfahren haben; damit ist allerdings nicht gemeint, dass man in den literarischen Werken „wie in Bildbänden zur Geschichte blättern"[1] soll und nur die Bestätigung dessen sucht, was man ohnehin schon aus anderen Quellen weiß. Darum wäre das bloße Wiedererkennen z.B. biografischer Fakten in einem literarischen Text ohne neuen Erkenntniswert – es sei denn, man beschränkt seine Bedeutung auf die Illustration der Autorbiografie.
Literarische Texte als Kunstwerke sind weder als Ausdruck individueller Erfahrungen (biografischer Aspekt) noch als schöpferische Eigenproduktion des Rezipienten noch als Widerspiegelung gesellschaftlicher Realität allein zu verstehen; als fiktionale Wirklichkeitsmodelle sind sie keine bestätigenden Abbilder der (gesellschaftlichen) Wirklich-

[1] Karl-Heinz Hucke/Hermann Korte: Literaturgeschichte, S. 70

keit, sondern stellen den *Widerspruch* zu dieser dar.[1] Erst wenn man diesen Widerspruch zur gegebenen historischen Situation erfasst hat und ihn mit der eigenen gegenwärtigen (ebenfalls historischen) Position vergleicht, gewinnt die *Bedeutung* eines Werkes Konturen: Dann kann man erklären, welche Veränderungen möglich wären und welche noch nicht verwirklicht sind.

2. Die textgebundene Erörterung

Immer wieder werden Sie genötigt sein, komplexe fachliche Sachverhalte oder Problemstellungen, die im Unterricht bearbeitet worden sind, zu klären – sei es unter Vorgabe einer Kommunikationssituation, sei es im Anschluss an eine Textvorlage.
Eine solche Problemstellung im Deutschunterricht ist beispielsweise die Auseinandersetzung mit der zeitgenössischen „Werther"-Rezeption.
Eine Aufgabenstellung, die die argumentative Entfaltung dieses fachspezifischen Problems im Anschluss an eine Textvorlage verlangt, könnte etwa lauten:

Erörtern Sie Christian Friedrich Daniel Schubarts Stellungnahme (Kap. III.2) vor dem Hintergrund der „Werther"-Rezeption im 18. Jahrhundert.

Die schriftliche Bearbeitung dieser Aufgabe setzt eine genaue Erfassung des Themas und der Textvorlage voraus und orientiert sich in der Darstellung an einer festgelegten Schrittfolge.

[1] Vgl. Theodor W. Adorno: Ästhetische Theorie. Hrsg. v. Gretel Adorno und Rolf Tiedemann. Frankfurt/M., 14. Auflage 1998, S. 19: „Kunst ist die gesellschaftliche Antithesis zur Gesellschaft, nicht unmittelbar aus dieser zu deduzieren."

Gliederung und Teilaufgaben	**Ausführungstipps mit Bezug auf die konkrete Textvorlage**
Einleitung: Hinführung zum Thema und Schaffung der notwendigen Voraussetzungen für die Erörterung	Nennung von Autor/in, Titel, Thema im Einleitungssatz, Beschreibung der vom Autor/der Autorin vorgenommenen Themenerschließung in ihrer Begrenzung, evtl. Information über die methodischen Schritte zur Bearbeitung der Aufgabenstellung, *Darlegung der wesentlichen Rezeptionsbedingungen im 18. Jahrhundert*
Hauptteil: **I** Sachgerechte Wiedergabe der zentralen Problemstellung im gedanklichen Zusammenhang und knappe Analyse der Textvorlage in Bezug auf die zentralen Aussagen/Thesen im Argumentationszusammenhang	Wiedergabe der Hauptgedanken bzw. Argumente des Textes sowie Beschreibung der dargestellten Position in sachlich-distanzierter Weise ohne Vermischung mit eigenen Wertungen. Thesen, Argumente, Beispiele unterscheiden und in ihrem sachlich-logischen Zusammenhang darstellen – nicht nur additiv nebeneinander stellen. *In Bezug auf den Schubart-Text empfiehlt es sich, der Gliederung der Rezension zu folgen (Wirkung des Gelesenen auf den Verfasser der Rezension, Inhaltsangabe, Formbetrachtung, appellativer Schluss). Argumentation, Wortwahl und Satzbau sind als enthusiastischer Ausdruck der Sympathie des Rezensenten für den Helden des Romans, dem er sich wesensverwandt fühlt, und der Bewunderung für den Autor zu deuten.* *Schubarts Verständnis von Literatur ist durch das Angebot zur Identifikation bestimmt; eine entsprechende*

	Lesehaltung legt er auch dem Publikum nahe („sentimentalisches", identifikatorisches Lesen).
II Auseinandersetzung mit der Position des Autors und Aufbau einer eigenen Argumentation (Stellungnahme)	Kritische Analyse der Textvorlage, Prüfung der wissenschaftlichen oder sonstigen Voraussetzungen der im Text vertretenen Position, Bewertung der Schlüssigkeit der im Text angeführten Begründungen und Beispiele, Feststellung und Begründung der eingeschränkten oder vollständigen Zustimmung oder Ablehnung der vorgegebenen Argumentation unter Berücksichtigung der historischen Distanz. *Als Ansatz für eine kritische Auseinandersetzung mit der Textvorlage bietet sich vor allem die Tatsache an, dass Schubart, ein ausgesprochen auf Gesellschaftskritik und politische Wirkung ausgerichteter Schriftsteller, die im „Werther" enthaltenen gesellschaftskritischen Aspekte nicht erwähnt, was unter Berücksichtigung Ihres eigenen Romanverständnisses, der Rezeptionsbedingungen im 18. Jahrhundert und der drei Gruppen der zeitgenössischen „Werther"-Rezeption (nämlich der Gruppe der Aufklärer, der Stürmer und Dränger und des orthodoxen Klerus) zu erörtern ist.* Greifen Sie beim Aufbau einer eigenen Argumentation auf Ihre Lektüreerfahrungen, Unterrichtsergebnisse bzw. fachspezifischen Kenntnisse zurück und entwickeln Sie eigenständige Überlegungen.

	Stützen Sie die eigene Position mit Argumenten und Beispielen. *Als Leitaspekt für die eigene Argumentation bietet sich z.B. Schubarts Literaturverständnis und Lesehaltung an: Identifikatorisches Lesen verhindert den Aufbau einer Gegenperspektive, nimmt einen Text „als Anlass zur Unterwerfung unter seine Gefühle, Stimmungen, Gedanken, Handlungen“ (Karl Otto Conrady). Gegenmodell: das kritisch distanzierende Lesen*
Schlussteil: Zusammenfassung und/oder weiterführende Problematisierung, Ausblick	Zusammenfassung der Hauptgedanken und/oder *Ausblick auf die „Werther“-Rezeption im 20. Jahrhundert*

Bildnachweis

|akg-images GmbH, Berlin: 129, 144, 145, 159, 183, 195, 197. |alamy images, Abingdon/Oxfordshire: Art Collection 2 173; imageBROKER 131. |bpk-Bildagentur, Berlin: 168, 180. |Carl Hanser Verlag GmbH & Co. KG, München: 207. |Cornelsen Verlag GmbH, Berlin: Aus: Texte, Themen und Strukturen, S. 217 158. |Deutsches Literaturarchiv Marbach, Marbach am Necker: 6, 68. |Suhrkamp Verlag GmbH & Co. KG, Berlin: 198. |wbv Media, Bielefeld: Verlagsgruppe Bertelsmann 202.

Wir arbeiten sehr sorgfältig daran, für alle verwendeten Abbildungen die Rechteinhaberinnen und Rechteinhaber zu ermitteln. Sollte uns dies im Einzelfall nicht vollständig gelungen sein, werden berechtigte Ansprüche selbstverständlich im Rahmen der üblichen Vereinbarungen abgegolten.